CAPITALISMO, CATOLICISMO E NEOPENTECOSTALISMO

Reflexões para o futuro do Brasil

Raymundo Magliano Filho
César Mortari Barreira

CAPITALISMO, CATOLICISMO E NEOPENTECOSTALISMO

Reflexões para o futuro do Brasil

EDITORA
Labrador

Copyright © 2020 de Raymundo Magliano Filho e César Mortari Barreira
Todos os direitos desta edição reservados à Editora Labrador.

Coordenação editorial
Pamela Oliveira

Preparação de texto
Isabel Silva

Projeto gráfico, diagramação e capa
Felipe Rosa

Revisão
Gabriela Rocha Ribeiro

Assistência editorial
Gabriela Castro

Imagem de capa
Freepik.com

Dados Internacionais de Catalogação na Publicação (CIP)
Angélica Ilacqua – CRB-8/7057

Magliano Filho, Raymundo
   Capitalismo, catolicismo e neopentecostalismo : reflexões para o futuro do Brasil / Raymundo Magliano Filho, César Mortari Barreira. – São Paulo : Labrador, 2020.
   176 p.

Bibliografia
ISBN 978-65-5625-071-7

1. Economia 2. Sociologia 3. Capitalismo e religião 4. Religião – Influência – Economia I. Título II. Mortari, César

20-3197   CDD 330

Índice para catálogo sistemático:
1. Economia e religião

EDITORA
Labrador

Editora Labrador
Diretor editorial: Daniel Pinsky
Rua Dr. José Elias, 520 – Alto da Lapa
05083-030 – São Paulo – SP
+55 (11) 3641-7446
contato@editoralabrador.com.br
www.editoralabrador.com.br
facebook.com/editoralabrador
instagram.com/editoralabrador

A reprodução de qualquer parte desta obra é ilegal e configura uma apropriação indevida dos direitos intelectuais e patrimoniais dos autores.

A Editora não é responsável pelo conteúdo deste livro. Os autores conhecem os fatos narrados, pelos quais são responsáveis, assim como se responsabilizam pelos juízos emitidos.

SUMÁRIO

Prefácio 7
Introdução 11

Capítulo 1: Catolicismo e o espírito do capitalismo 25
    Considerações preliminares 25
    Aprofundando o sentido do tradicionalismo:
    a concepção católica da vida econômica 30
    A reflexão do magistério da Igreja católica sobre
    o capitalismo: um caminho até o papa Francisco 46
        O papa Leão XIII e a encíclica *Rerum Novarum* 47
        O papa Pio XI e a encíclica em comemoração
        aos 40 anos da *Rerum Novarum* 54
        O capitalismo financeirizado: do papa
        Bento XVI ao papa Francisco 63

Capítulo 2: Protestantismo e o espírito do capitalismo 93
    Considerações preliminares 93
    Aprofundando o sentido do "espírito" do
    capitalismo: da concepção calvinista da vida
    econômica ao puritanismo inglês 99

O calvinismo 101
O puritanismo inglês.. 110

Capítulo 3: Neopentecostalismo e o
capitalismo financeirizado **127**
   Considerações preliminares 127
   A teologia da prosperidade 136
      O contrato com Deus 140
      A troca com Deus 143
   A teologia da dominação... 149
      Uma ordem social dualista... 151
      O paradoxo da (não) responsabilidade 156

Considerações finais.. **163**
Referências.. **167**

PREFÁCIO

É com muita honra e satisfação que apresento ao leitor o livro *Capitalismo, catolicismo e neopentecostalismo: reflexões para o futuro do Brasil*, de autoria de Raymundo Magliano Filho, um grande amigo, e César Mortari Barreira, seu professor. Para aquele que acompanha o ex-presidente da Bolsa de Valores de São Paulo (Bovespa), a temática religiosa pode até mesmo parecer estranha, notadamente diante da trajetória de um homem cujo nome está intimamente associado ao desenvolvimento do mercado de capitais brasileiro. Ora, mas a paixão pelo estudo – além da coragem e da determinação para realizá-lo – constitui algumas das principais características de Magliano. Por isso mesmo, é de fundamental importância compreender que este livro é mais uma manifestação do legado de Magliano, agora acompanhada da densidade sociológica agregada pelo seu professor. Como eles destacam na introdução, as próximas páginas materializam reflexões desenvolvidas ao longo dos últimos anos. Em tempos de empresas "unicórnios" com uma simplista lógica do "milionário em um minuto" e da distribuição injusta de bens, o conteúdo desta obra é um convite à necessária reflexão sobre o contexto social em que todos nós estamos inseridos.

Mais interessante ainda é o fato de os autores procurarem compreender como o campo religioso, o embate entre a racionalidade econômica e a racionalidade religiosa, pode influenciar o agir econômico dos sujeitos: o meu, o seu, o de todos nós. Mera imaginação teórica? Longe disso! Em coautoria com Barreira, Magliano surpreende uma vez mais aqueles profissionais do mercado de capitais que, mesmo após o período da "popularização" da bolsa de valores, insistem na compreensão eminentemente técnica do mercado, ignorando (apenas inconscientemente?) que nós todos estamos imersos em uma sociedade historicamente determinada.

Como nada acontece por acaso, daí a importância de se resgatar alguns elementos que compõem a memória da Bovespa. Transformada em B3 em 2017, devemos considerar que os bons ventos financeiros de hoje seriam inexistentes sem a "revolução silenciosa" que caracterizou o mandato de Magliano, entre 2001 e 2008. Muito além da preocupação numérica e percentual,[1] naquele ambiente foram difundidos os valores que embasaram a estrutura de uma instituição construída por um senso de responsabilidade bastante específico: o de expandir suas aptidões para diminuir a distância entre sonhos, desejos e planos pessoais, além de, simultaneamente, contribuir para o fortalecimento da sociedade civil mediante o desenvolvimento e o aprimoramento do mercado de capitais.

Naqueles tempos, o mote fundamental era o de reciprocidade, o que garantia retornos financeiros individuais que, simultaneamente, geravam um fluxo de investimentos produtivos para o país. Renda, emprego e desenvolvimento eram, assim, os elementos indispensáveis para uma ideia de nação brasileira. Mas enga-

---

1. Note-se, no entanto, que os números foram realmente impactantes: durante sua gestão, a quantidade de pessoas físicas na bolsa foi de 80 mil, em 2002, para 500 mil, em 2008.

na-se quem acha que tudo isso foi fruto da experiência de um profissional que ainda jovem começou a trabalhar na corretora de valores do pai.

Já naqueles tempos, o então presidente da Bovespa tinha uma mensagem bastante clara: a bolsa não era nem deveria ser um clube de ricos ou um cassino, mas uma instituição responsável pela negociação de valores e pela determinação de preços, controlada por regras claras e eficientes que garantiriam transparência e segurança às operações. Esta é a razão pela qual a Bovespa viu-se na obrigação de participar e desenvolver políticas de inclusão social e econômica, como a construção de um espaço com biblioteca em Paraisópolis, a criação da Bolsa de Valores Sociais e Ambientais (BVS&A) e a pioneira das bolsas na adesão ao Pacto Global da Organização das Nações Unidas (ONU).

Mais relevante ainda é o fato de tamanha transformação ter como premissa os conceitos de visibilidade, acesso e transparência desenvolvidos por Norberto Bobbio em seus escritos de filosofia política. O impacto e o sucesso desse amálgama entre o sentir, o pensar e o agir podem ser avaliados pela inauguração, em 2009, do Instituto Norberto Bobbio – Cultura, Democracia e Direitos Humanos, primeiro e único centro de estudos destinado ao pensador Bobbio fora da Itália, do qual Magliano foi fundador e primeiro presidente. E assim se fechava um círculo que tinha na democratização social uma de suas principais bandeiras.

Mas isso não significava o término do trabalho de reflexão sobre as relações entre economia e sociedade. Pelo contrário: após a crise do *subprime* iniciada em 2008, o mercado financeiro voltou a ser visto de forma negativa e pejorativa. Não por acaso, os anos posteriores mostraram-se extremamente produtivos, com a publicação de *A força das ideias para um capitalismo sustentável* (2014),

Um caminho para o Brasil: a reciprocidade entre sociedade civil e instituições (2017) e *Por uma bolsa democrática* (2018). Assim, acompanhado de seu professor, Magliano gradativamente aparava as arestas para, hoje, nos apresentar a seguinte problematização: como a filiação religiosa poderia influenciar a ação econômica das pessoas, incentivando ou não sua participação, por exemplo, no mercado de capitais?

Bastante conhecida no meio sociológico, essa pergunta mostra-se particularmente atual num país como o Brasil, que não apenas possui a maior população católica do mundo como vivencia um processo de alteração hegemônica do campo religioso, principalmente em virtude do rápido avanço dos evangélicos. Ramificações do protestantismo, seriam as igrejas neopentecostais uma espécie de encarnação do "espírito" do capitalismo, tal como estudado por Max Weber?

Com muita propriedade e didatismo, Magliano e Barreira percorrem uma vasta bibliografia nacional e internacional, trazendo informações inéditas: doutrina católica e encíclica de um lado e doutrina neopentecostal e teologia da prosperidade e da dominação do outro, ambas costuradas por uma rigorosa reconstrução das principais contribuições de Weber, cujo falecimento completa, em 2020, cem anos. Uma homenagem? Sem dúvida. Mas, acima de tudo, demonstração de uma preocupação com os dias de hoje que encontra nos clássicos sua fonte de inspiração.

Fernando Bastos de Aguiar

INTRODUÇÃO

Quando pensamos no futuro do Brasil, são inúmeras as questões que se apresentam à nossa reflexão. De certo modo, é seguro dizer que a década de 2020 será caracterizada por inúmeras transformações sociais que afetarão profundamente nosso país. Após a pandemia decorrente da expansão mundial do novo coronavírus, até mesmo nossa forma de convivência social, antes tão naturalizada, parece estar em risco. Assim, se o "longo século XIX" teve fim com o início da Primeira Guerra Mundial, em 1914, moldando o modo como conhecemos o mundo contemporâneo, parece seguro dizer que o século XX terminou em 2019. Inovações tecnológicas, reestruturação dos negócios, revisão do modo de produção pautado no *just in time*, deslocamento das forças políticas hegemônicas: todas essas questões serão intensamente debatidas em um mundo caracterizado por uma desigualdade social cada vez mais profunda e por uma concentração de capitais nunca vista.

No que se refere à sociedade brasileira, inúmeras dúvidas aparecem: como será a realidade pós-pandemia em um dos países mais desiguais do mundo? Como uma nação que há décadas se dedica conscientemente à desindustrialização conseguirá competir em um cenário internacional cada vez mais competitivo? De que modo a galopante precarização do trabalho impactará os rendimentos e o consumo de uma massa de trabalhadores progressivamente endividada? Quais serão os efeitos econômicos e políticos dessa conjugação de fatores? Como se sabe, além da urgência dessas questões, nós também teremos que lidar com sua rápida e intensa difusão. De certo modo, se é possível ler a modernização como um processo de aceleração social (ROSA, 2019, p. 8), é sintomático que o século XXI avance pela *hiperaceleração* de algumas tendências observadas anteriormente.

No presente livro, é justamente uma dessas tendências da sociedade brasileira que gostaríamos de destacar: a iminente alteração demográfica no que se refere à filiação religiosa – a passagem de uma maioria católica para uma maioria evangélica – e sua possível relação com a compreensão do sentido econômico da ação social. Curiosamente, trata-se de um tema muito estudado e, ao mesmo tempo, pouco conhecido pela maioria da população que, de certo modo, está acostumada a discussões acerca do impacto dessa alteração do campo religioso no sistema de representação política.[2]

Por isso mesmo, aqui é importante fazer alguns esclarecimentos que permitem compreender a história por trás destas páginas. Fruto dos encontros semanais que ocorrem entre os dois autores, Magliano Filho e Barreira, as reflexões que o leitor tem agora em suas mãos partiram de um contexto bastante específico: de um

---

2. Um exemplo recente desse tipo de abordagem pode ser visto nas discussões sociológicas que sucederam a eleição de Marcelo Crivella como prefeito do Rio de Janeiro, em 2016, após disputa com Marcelo Freixo (ALESSI, 2016). Note-se, no entanto, que Paul Freston analisou a relação entre protestantes/evangélicos e política já em 1993, em sua tese de doutorado, ocasião em que afirmava: "com a redemocratização, ficou patente o cacife eleitoral evangélico. [...] É possível que o voto evangélico tenha definido a eleição presidencial de 1989" (FRESTON, 1993, p. 21).

lado, um veterano corretor de valores, ex-presidente da Bolsa de Valores de São Paulo (Bovespa); do outro, seu professor particular, um jovem pesquisador de filosofia e sociologia do direito. Se o primeiro sempre procurou aproximar o mercado de capitais da sociedade civil, o segundo não hesitava em realçar a necessidade de uma compreensão sociológica aprofundada dessa temática. E foi a partir desse diálogo que a seguinte problematização foi colocada: como a filiação religiosa poderia influenciar a ação econômica das pessoas, incentivando ou não sua participação, por exemplo, no mercado de capitais?

Apesar de inúmeros esforços durante o período de "popularização" da bolsa, em 2020, aproximadamente 1% da população brasileira investe em ações, uma porcentagem estarrecedora quando comparada aos mais de 55% da população norte-americana. Como se sabe, essa discrepância pode ser analisada a partir de várias perspectivas, geralmente articulando-se elementos políticos, sociais e econômicos. Não por acaso, as análises *mainstream* que procuram compreender a baixa participação da sociedade civil brasileira na bolsa usualmente utilizam argumentos que remetem à importância da taxa de juros, à política dos bancos, à necessidade de poupança e de reformas econômicas que impulsionariam uma adesão popular à bolsa.

Em termos gerais, trata-se de um diagnóstico até certo ponto razoável, mas apenas no interior de uma compreensão técnica. Ou seja, *pressupondo-se* aquela premissa indispensável ao pensamento econômico neoclássico, isto é, que todos os indivíduos, enquanto seres racionais, orientam suas ações pelo cálculo de custos e benefícios, então *parece* ser suficiente focalizar apenas as medidas econômicas necessárias ao chamado destravamento da renda variável. No entanto, talvez fosse o caso de insistir na hipótese de que a realidade social é consideravelmente mais complexa[3] e, assim, seguir o conselho expresso por Bobbio no início de seu texto "Convite ao colóquio", que abre o livro *Política e cultura*:

> Hoje, a tarefa dos homens de cultura é, mais do que nunca, *a de semear dúvidas, não a de colher certezas*. De certezas – revestidas pelo fausto do mito ou edificadas com a pedra dura do dogma – estão cheias, transbordantes, as crônicas da pseudo-cultura dos improvisadores, dos diletantes, dos propagandistas interessados (BOBBIO, 2015, p. 63 – grifo nosso).

Pois bem, não temos dúvidas de que essas palavras também nos afetam. Se o arcabouço teórico de Bobbio orientou grande parte da reflexão sobre a relação entre sociedade civil e bolsa, no início do século XXI, então a força bruta da realidade social – a baixíssima participação de pessoas físicas no mercado de capitais brasileiro – implicava a necessidade, ainda com Bobbio, de se conscientizar que o saber humano é "necessariamente limitado e finito e, portanto, requer muita cautela junto a muita modéstia" (BOBBIO, 2015, p. 63). Contra as pretensões de um dogmatismo econômico que ainda se baseia na fé, no modelo neoclássico do agir humano, os "direitos da dúvida" nos fizeram voltar os olhos para um dos autores preferidos de Bobbio: Max Weber.

De fato, em *Teoria geral da política*, o filósofo italiano reafirma a necessidade de ouvir as lições dos clássicos, isto é, aquele tipo

---

3. É por isso mesmo sintomática a ponderação de Richard Swedberg: "Não consegui encontrar uma única análise completa por um economista da argumentação de Weber em *A ética protestante*. Uma das razões para isto é provavelmente que a teoria econômica não aborda questões deste tipo; ou, para citar Nicholas Kaldor, 'a especulação econômica [isto é, a teoria econômica] aqui invade os campos da sociologia e da história social; e o máximo que um economista pode dizer é que não há nada na análise econômica enquanto tal que possa contestar a importante ligação, sublinhada por historiadores econômicos e sociólogos, entre a ascensão da ética protestante e a ascensão do capitalismo'" (SWEDBERG, 1998, p. 263).

de autor que é um "intérprete autêntico de seu próprio tempo, [...] sempre atual, de modo que cada época, ou mesmo cada geração, sinta a necessidade de relê-lo e, relendo-o, de reinterpretá-lo", e que tenha construído "teorias-modelo das quais nos servimos continuamente para compreender a realidade" (BOBBIO, 2000, p. 130). Weber, chamado por Bobbio de "o último dos clássicos", seria um autor particularmente interessante nos dias de hoje – em termos de "hipóteses de pesquisa, temas para a reflexão, ideias gerais" –, uma vez que suas reflexões "passaram a fazer parte definitivamente do patrimônio conceitual das ciências sociais" (BOBBIO, 2000, p. 130). Ora, levando em consideração que o cenário atual de "transformação" do campo religioso no Brasil descrito anteriormente coincide com o centenário do falecimento de Weber (1920), não seria este o momento particularmente propício à retomada de algumas reflexões apresentadas pelo sociólogo alemão em *Ética protestante e o espírito do capitalismo*, cuja segunda versão também foi lançada há cem anos?[4]

---

4. Naturalmente, seria possível partir de outros autores. Pense-se, por exemplo, em Karl Marx, que no Livro I de *O capital* apresentava o protestantismo como um desenvolvimento burguês do catolicismo: "para uma sociedade de produtores de mercadorias, cuja relação social geral de produção consiste em se relacionar com seus produtos como mercadorias, ou seja, como valores, e, nessa forma reificada [*sachlich*], confrontar mutuamente seus trabalhos privados como trabalho humano igual, o cristianismo, com seu culto do homem abstrato, é a forma de religião mais apropriada, especialmente em seu desenvolvimento burguês, como protestantismo, deísmo etc." (MEGA, II. 6, p. 109). Ou, então, em Werner Sombart, com sua análise do empresário como a principal figura explicativa do desenvolvimento da economia capitalista: "a 'força motriz' da economia capitalista moderna é, portanto, o empresário capitalista e apenas ele. Sem ele nada se faz. Ele é, portanto, a única força 'produtora', ou a força realizadora, como se pode deduzir imediatamente das suas funções. Todos os outros fatores de produção, trabalho e capital, estão numa relação de dependência com ele, ganham vida através da sua ação criativa. Também todas as invenções técnicas ganham vida graças a ele" (SOMBART, 1984, p. 29). A escolha por *A ética protestante e o espírito do capitalismo* é, por isso mesmo, contingente, derivada do centenário tanto do falecimento de Weber como do livro, de um lado, e do grande apreço que Bobbio tinha por ele, do outro.

Veja-se: partindo da premissa de que o capitalismo não produz sozinho a subjetividade humana que lhe é característica, a pesquisa weberiana busca indagar em que medida as concepções religiosas impactam a vida econômica das diferentes sociedades, questionando quais componentes religiosos compõem a cultura capitalista moderna e, assim, permitindo compreender a ação social moderna nos termos de um amálgama entre racionalidade,[5] rentabilidade e aquisição. Daí a importância de uma nota de rodapé, em que Weber apresenta a seguinte reflexão:

> Para aqueles cuja consciência causal não sossega sem uma interpretação econômica ("materialista", como infelizmente ainda se diz), cumpre-me registrar que: considero muito significativo o influxo do desenvolvimento econômico sobre o destino das configurações religiosas de ideias e mais tarde tentarei mostrar como, no caso em tela, se desdobram os processos de adaptação e as relações recíprocas entre os dois termos. Resta que esses conteúdos [religiosos] de pensamento *não* se deixam simplesmente *deduzir* "economicamente"; eles próprios – e não há nada que possamos fazer contra isso – são *de sua parte* o mais poderoso elemento plástico do "caráter de um povo" e portam em si [puramente em si, sua legalidade própria e] a potência de se imporem por si mesmos. E ainda por cima, na medida em que couber levar em conta fatores extra-religiosos, as diferenças mais *relevantes* – entre luteranismo e calvinismo – foram determinadas predomi-

---

5. Carlos Eduardo Sell nos lembra que há uma diferenciação entre racionalidade [*Rationalität*] e racionalização [*Rationalisierung*], de modo que uma "teoria weberiana da racionalidade" só existe "enquanto instrumento heurístico para a compreensão da racionalização da ação social e seus desdobramentos no plano societário e cultural, não constituindo, nessa medida, um fim em si mesma" (SELL, 2013, p. 9).

nantemente por fatores *políticos* (WEBER, 2004b, p. 268-269, grifos do autor).

Como se sabe, neste livro será de fundamental importância a consideração do protestantismo ascético, cujo *modus vivendi* racionalizado fará do trabalho sistemático o meio para acumular riquezas e demonstrar a salvação divina. Não por acaso, Weber salienta a ética desse "espírito" do capitalismo nos seguintes termos:

> *Ganhar dinheiro e sempre mais dinheiro, no mais rigoroso resguardo de todo gozo imediato do dinheiro ganho,* algo tão completamente despido de todos os pontos de vista eudemonistas ou mesmo hedonistas e pensado tão exclusivamente como fim em si mesmo, que, em comparação com a "felicidade" do indivíduo ou sua "utilidade", aparece em todo caso como inteiramente transcendente e simplesmente irracional. *O ser humano em função do ganho como finalidade da vida, não mais o ganho em função do ser humano como meio destinado a satisfazer suas necessidades materiais.* Essa inversão da ordem, por assim dizer, "natural" das coisas, totalmente sem sentido para a sensibilidade ingênua, é tão manifestamente e sem reservar um *Leitmotiv* do capitalismo, quanto é estranha a quem não foi tocado por seu bafo (WEBER, 2004b, p. 46-47, grifos nossos).

Como o próprio Weber diz, o principal adversário desse "espírito" do capitalismo – principalmente no sentido de um *estilo de vida* – foi e continua sendo (como será destacado) o *tradicionalismo*. E o que seria isso? Trata-se de uma espécie de sensibilidade e comportamento em que o "natural" não é, em hipótese alguma, acumular. Assim, "o ser humano não quer 'por natureza' ganhar dinheiro e sempre mais dinheiro, mas simplesmente viver, viver do modo como está habituado a viver e ganhar o necessário para tanto" (WEBER, 2004b, p. 53). Por isso mesmo, o *empresário* tradicionalista se movimenta para garantir

> a cadência de vida tradicional, o montante de lucros tradicional, a quantidade tradicional de trabalho, o modo tradicional de conduzir os negócios e de se relacionar com os trabalhadores e com a freguesia, por sua vez essencialmente tradicional, a maneira tradicional de conquistar clientes e mercados (WEBER, 2004b, p. 59-60).

Consequentemente, se o Antigo Testamento e o Novo Testamento seguem uma orientação tradicionalista – como destaca Weber, algo que se manifesta pela narrativa "contente-se cada qual com seu sustento" característica do "pão nosso de cada dia nos dai hoje" –, está longe de ser mera casualidade que o catolicismo tenha no calvinismo "seu verdadeiro adversário" (WEBER, 2004b, p. 78). Trata-se de uma verdadeira contraposição, cuja profundidade pode ser observada nas palavras de Richard Baxter:[6]

> Se Deus vos indica um caminho no qual, sem dano para vossa alma ou para outrem, *possais ganhar* nos limites da lei mais do que num outro caminho, e vós o rejeitais e seguis o caminho que vai trazer ganho menor, então *estareis obstando um dos fins do vosso chamamento, estarei vos recusando a ser o administrador de Deus* e a receber os seus dons para poderdes empregá-los para Ele se Ele assim o exigir. Com certeza não para fins da concupiscência da carne e do pecado, mas

---

6. Weber considera Baxter um dos principais representantes do protestantismo ascético.

sim para Deus, é permitido trabalhar para ficar rico (WEBER, 2004b, p. 148, grifos do autor).

Como se vê, muito distante da crítica católica à acumulação de riquezas e das tradicionais doutrinas referentes ao valor moral da pobreza, o "espírito" do capitalismo promove uma inversão que faz com que o *querer ser pobre* seja comparado ao *querer ser um doente*, de modo que aquele que pede esmolas, além de ser nocivo à glória de Deus, também cometeria o pecado da preguiça (WEBER, 2004b, p. 148). Assim, diante da valorização religiosa do trabalho profissional sem descanso, continuado e sistemático como *meio* para a comprovação da regeneração do ser humano e da autenticidade de sua fé, a concepção puritana de vida "fez a cama para o '*homo oeconomicus*' moderno" (WEBER, 2004b, p. 158), isto é, serviu de alavanca para a "*acumulação de capital* mediante *coerção ascética à poupança*" (WEBER, 2004b, p. 157, grifo do autor).

Como todas essas questões, neste momento apresentadas apenas introdutoriamente, se relacionam com aquela pergunta – acerca da possibilidade de a filiação religiosa influenciar a ação econômica das pessoas, incentivando ou não sua participação, por exemplo, no mercado de capitais – feita algumas páginas atrás? Uma vez que no contexto atual se discute as razões pelas quais há uma transição religiosa entre católicos e evangélicos no Brasil, nos parece particularmente frutífero refletir sobre como esse movimento pode afetar a representação do sentido econômico da ação social em tempos de capitalismo financeirizado.[7]

Ora, se há uma vinculação bastante íntima entre tradicionalismo e catolicismo, pode-se supor – mesmo de modo bastante

---

7. Nos referimos aqui à discussão sobre a financeirização do capitalismo, processo que vem sendo estudado desde a década de 1970. Abordamos o tema com mais profundidade no capítulo 3.

abstrato, prévio a uma ciência empírica da realidade concreta – que esse amálgama repercute alguma medida na conduta de vida das pessoas, em especial na ação econômica desses sujeitos. No entanto, isso não significa que o influxo católico exclusivamente possa bloquear o desenvolvimento do capitalismo brasileiro, ou mesmo que o baixo apetite pelo risco seja causado unilateralmente pelo componente tradicionalista subjacente à hegemonia católica em nosso país. Se Weber destacava que

> não se deve de forma alguma defender uma tese tão disparatamente doutrinária que afirmasse por exemplo: que o "espírito capitalista" (sempre no sentido provisório dado ao termo aqui) *pôde surgir somente* como resultado de determinados influxos da Reforma [ou até mesmo: que o capitalismo enquanto *sistema econômico* é um produto da Reforma] (WEBER, 2004b, p. 82, grifos do autor),

ou seja, que não se podia compreender sua abordagem como manifestação de uma "interpretação causal espiritualista" (WEBER, 2004b, p. 167),[8] o mesmo vale para as reflexões acerca da influência da dimensão cultural religiosa em nossa formação nacional, principalmente no que se refere ao agir econômico.

Consequentemente, o que temos diante de nós é uma problematização da seguinte ordem: se é certo que a imagem weberiana do "empresário tradicionalista" – católico e avesso ao risco – pode

---

8. Isso nem sempre foi percebido, razão pela qual ainda é comum a interpretação de que Weber apresentaria uma explicação *culturalista* da gênese do capitalismo. Daí importância da advertência de Swedberg: "o capitalismo racional moderno [...] é o resultado de uma série de acontecimentos que ocorreram antes e depois da criação de um novo espírito capitalista. Entre os eventos que tiveram lugar antes deste evento está o nascimento da cidade ocidental e da lei moderna (romana); e entre os que vieram depois está o sistema fabril e o uso sistemático das encefalopatias científicas na produção" (SWEDBERG, 1998, p. 129).

servir de estímulo para a reflexão acerca do espírito do capitalismo brasileiro, hoje em dia parece ser particularmente interessante acompanhar a discussão da materialização desse "espírito tradicional" em sua principal instituição, notadamente em virtude das contundentes críticas feitas pelo papa Francisco ao mercado financeiro, hoje tão difundidas.[9] Se este é caracterizado como o "anticristo" e a manifestação do "fetichismo do dinheiro e da instrumentalização do homem", é de se esperar – contrariamente ao credo neoclássico – que essa leitura possa influenciar, ao menos idealmente, a compreensão do mundo atual e, consequentemente, as ações sociais dos indivíduos. Uma vez mais: não se trata de estabelecer uma relação de causalidade absoluta, mas de procurar indícios de como a reflexão do magistério da Igreja – algo que Weber não abordou[10] – pode nos ajudar a compreender um modo de representação subjetiva das relações existentes entre o agir em sociedade e a economia.

Essa dimensão católica, no entanto, não é tudo. Deve-se atentar para a já referida mudança no perfil demográfico no Brasil e sua correlata perda de hegemonia católica.[11] Conforme notícia

---

9. Serão fundamentais as encíclicas *Evangelii Gaudium* [A alegria do Evangelho] (2013) e *Laudato si* [Louvado seja] (2015), além do artigo *Considerações para um discernimento ético sobre alguns aspectos do atual sistema econômico-financeiro* (2018), que discute os elementos éticos subjacentes ao mercado financeiro. Como será destacado no capítulo 1, as reflexões do papa Francisco se inserem em uma tradição do pensamento católico bastante crítica à racionalidade capitalista, razão pela qual também serão abordados – ainda que resumidamente – os posicionamentos dos papas Leão XIII, Pio XI, Paulo VI, João Paulo II e Bento XVI.
10. Sell salienta que "ao examinar os influxos das representações religiosas sobre a conduta de vida, Weber tomou cuidado de evitar grandes sistemas doutrinais centrando sua atenção apenas naquela literatura cujos efeitos psicológicos eram decisivos no nível da prática social" (SELL, 2016, p. 25). Ora, aqui já se manifesta o sentido do individualismo metodológico weberiano.
11. Há um profundo debate na literatura brasileira a esse respeito, cuja síntese será apresentada no início do capítulo 2.

divulgada no início do ano (BALLOUSIER, 2020), é possível que os evangélicos desbanquem os católicos em pouco mais de uma década. Assim, se os evangélicos – em especial aqueles associados ao neopentecostalismo – constituem a fração de maior desenvolvimento e crescimento por trás dessa transição religiosa, e se isso significa um fortalecimento de uma concepção protestante da vida, quais seriam os possíveis impactos e as consequências dessas alterações – uma vez mais: tendo como parâmetro um nível de abstração elevado, que não se confunde com a prática dos sujeitos – para as discussões que procuram compreender o sentido econômico da ação social? Apesar de ser um questionamento inexistente nos meios econômico e administrativo, em especial no âmbito dos "analistas" do mercado financeiro, o tema não é novo.

Como destaca Ricardo Mariano, desde 1990 popularizou-se a tese de que o crescimento pentecostal poderia, a médio prazo, "se constituir num poderoso estímulo para o fortalecimento da economia de mercado nos países latino-americanos" (MARIANO, 1996, p. 42). O responsável por isso foi David Martin, em seu livro *Tongues of fire: the explosion of Protestantism in Latin America* (1990), com prefácio de Peter Berger, para quem as consequências morais e sociais da conversão pentecostal na América Latina continuam a ser similares às consequências descritas por Weber da "ética protestante". Como destaca Mariano, "para Berger, o mesmo *ethos* do protestantismo continuaria, agora sob feição pentecostal, a manifestar afinidades com o 'espírito do capitalismo'" (BERGER, 1990 apud MARIANO, 1996, p. 43).

Veja-se: ainda que se afaste toda e qualquer tentativa de derivar exclusivamente da análise ideal da vinculação cultural-religiosa as razões determinantes da ação social dos sujeitos, ainda assim nos parece particularmente claro como um estudo mais detalhado sobre esses componentes religiosos pode auxiliar a compreender o especial modo de representação religioso da ação econômica nos dias de hoje. Ora, levando em consideração o peso que as igrejas neopentecostais possuem no interior do campo evangélico, qual o impacto de seus pilares – a *teologia da prosperidade*, de um lado, e a *teologia da dominação*,[12] de outro – para a compreensão da ação econômica? Estaríamos próximos ou distantes da crítica aos mercados financeiros promovida pelo papa Francisco? Se os evangélicos constituem uma ramificação do campo protestante, seriam os adeptos das igrejas neopentecostais o "novo espírito" do capitalismo brasileiro?

Como se vê, essas questões não são apenas atuais. Na verdade, elas constituem uma espécie de mediação reflexiva sobre uma camada de sentido do futuro do Brasil. Se a análise *mainstream* se preocupa apenas com os aspectos técnicos que aumentariam a participação popular no mercado de capitais, as páginas que compõem este livro miram outro alvo, procurando discutir, ainda que num plano seguramente abstrato, as possíveis afinidades entre representação religiosa do mundo e ação social, notadamente a econômica, em tempos de hegemonia financeira. Em um momento nacional e internacional de acúmulo de crises econômicas, políticas e sanitárias, torna-se imperativo manter o espírito característico de Bobbio, de abertura ao diálogo para semear dúvidas, e

---

12. As presentes reflexões não têm a pretensão de abordar todo o campo evangélico, mas apenas esses dois pilares do novo pentecostalismo, um recorte indispensável do objeto para os limites deste livro. De todo modo, note-se desde já que a *teologia da prosperidade* sustenta que o cristão está *destinado* a ser materialmente próspero neste mundo. Por sua vez, a *teologia da dominação* concebe a existência terrena como manifestação de uma *guerra espiritual* entre Deus e o Diabo. Voltamos a esta temática no capítulo 3.

não colher certezas. Em termos estritamente pessoais, as próximas páginas apresentam as considerações de dois amigos sobre a economia da nossa sociedade e os seus atores; reflexões cuja validade, importância e sensatez devem ser julgadas pelo leitor.

Raymundo Magliano Filho
César Mortari Barreira

CAPÍTULO 1

CATOLICISMO E O ESPÍRITO DO CAPITALISMO

CONSIDERAÇÕES PRELIMINARES

A melhor forma de iniciarmos uma análise sobre as relações existentes entre catolicismo e "espírito" do capitalismo é começar por aquilo que não nos ajuda em nada e, ainda assim, é particularmente comum. Pense-se, por exemplo, em um entendimento cotidiano do termo "capitalismo", em que este aparece como um sistema econômico, ou seja, um complexo em que atuam pessoas, instituições públicas e privadas que, mediante as mais variadas técnicas, facilitam e regulam de certo modo a produção, a circulação e a distribuição de bens. Ora, caso se aceite esse tipo de definição, é facilmente compreensível que toda e qualquer referência à religião seja de imediato bloqueada.

Naturalmente, não são poucos os argumentos que defendem uma definição *técnica*, de modo a evitar componentes políticos que poderiam deturpar a chamada neutralidade do objeto analisado. No entanto, se questionamos o capitalismo em termos de ordem social, isto é, enquanto um modo particular de constituir o que chamamos de sociedade, então torna-se possível ver que as mais variadas discussões sobre o sentido e a origem do capitalismo possuem um elemento comum. A partir de uma chave sociológica, e não apenas econômica, pode-se dizer que a chamada "sociedade moderna" é caracterizada por um certo modo de vida entre pessoas e sociedade, uma determinada configuração da ação social e, nesse sentido, pode-se dizer que a nossa sociedade é governada por um racionalismo que lhe é específico.

Num plano histórico – particularmente afeito às contribuições de Weber –, esse tipo de raciocínio torna indispensável o estudo da relação entre religiões e ação econômica. O argumento weberiano é bem conhecido: uma vez estabelecido que o surgimento do "espírito" do capitalismo está intimamente associado às crenças religiosas, chega-se ao estudo de uma ética particular que poderia lhe dar sustentação. Em *A ética protestante e o espírito do capitalismo*,[13] esse movimento é abordado a partir da distinção entre protestantismo luterano e protestantismo ascético,[14] sendo inicialmente mediado pela figura de Benjamin Franklin, um dos líderes da Revolução Norte-americana, para quem "tempo é dinheiro" e "crédito é dinheiro", de modo que "o dinheiro é procriador por na-

---

13. Note-se que a primeira versão da *Ética protestante* foi publicada em 1904 e 1905 no "Arquivo para a ciência social e a política social". Uma segunda versão aparece em 1920, no primeiro volume de *Ensaios reunidos sobre sociologia da religião*. Uma minuciosa comparação de todas as alterações existentes pode ser encontrada no anexo à recente reedição alemã do livro (WEBER, 2016, p. 177-230).

14. A literatura secundária há muito se dedica a pesquisar a influência do protestantismo na própria produção teórica de Weber. No entanto, Sell salienta que "ela pouco discutiu o modo como a condição cultural protestante [*Kulturprotestantismus*] incide sobre a compreensão weberiana do catolicismo" (SELL, 2016, p. 18).

tureza e fértil" (WEBER, 2004b, p. 42-43). Trata-se, assim, da ideia de que o indivíduo tem um *dever* de enriquecer, algo destacado por Weber nos seguintes termos:

> Com efeito: aqui não se prega simplesmente uma técnica de vida, mas uma "ética" peculiar cuja violação não é tratada apenas como desatino, mas como uma espécie de falta com o dever: isso, antes de tudo, é a essência da coisa. O que se ensina aqui não é *apenas* "perspicácia nos negócios" – algo que de resto se encontra com bastante frequência –, mas é um *ethos* que se expressa, e é precisamente *nesta* qualidade que ele nos interessa (WEBER, 2004b, p. 45, grifos do autor).

Diante desse cenário profundamente crítico de todo e qualquer hedonismo, em que avança a mentalidade de ganhar dinheiro cada vez mais e sempre, Weber não hesita em questionar: por que é preciso "fazer das pessoas dinheiro" (WEBER, 2004b, p. 47)? A resposta passa uma vez mais por Franklin, mais especificamente, por seu pai, um "calvinista estrito" que pregava ao jovem Franklin o seguinte: "vês um homem exímio *em sua profissão*? Digno ele é de apresentar-se perante os reis". Qual o significado disso? Segundo Weber, e isso nos parece fundamental, a lógica moderna do dinheiro pelo dinheiro é *resultado* e *expressão* da habilidade *na profissão*, de modo que esta "constitui o verdadeiro alfa e ômega da moral de Franklin" (WEBER, 2004b, p. 47, grifos do autor).

Manifesta-se então a concepção da *profissão como dever*, verdadeira "ética social da cultura capitalista" (WEBER, 2004b, p. 47), cuja raiz pode ser encontrada no conceito de vocação. Ora, como o próprio Weber faz questão de destacar, trata-se de uma palavra – *Beruf*, em alemão, ou *calling*, em inglês – que denota uma relação religiosa, uma espécie de missão dada por Deus. Ainda mais importante, trata-se de uma concepção *ausente* na tradição católica e presente em *todos* os povos protestantes (WEBER, 2004b, p. 71). Por isso mesmo, a ideia de vocação constitui algo verdadeiramente inédito, um produto da Reforma Protestante e, consequentemente, algo intimamente associado às colocações de Lutero.

Daí o destaque dado por Weber, em uma importante nota de rodapé: "antes das traduções luteranas da Bíblia o termo *Beruf* – holandês *beroep*, inglês *calling*, dinamarquês *kald*, sueco *kallelse* – em *nenhuma* das línguas que o contêm aparece com o sentido *mundano* que tem atualmente" (WEBER, 2004b, p. 188-189, grifos do autor). Assim,

> No conceito de Beruf, portanto, ganha expressão aquele dogma central de todas as denominações protestantes que condena a distinção católica dos imperativos morais em "praecepta" e "concilia" e reconhece que o único meio de viver que agrada a Deus não está em suplantar a moralidade intramundana pela ascese monástica, mas sim, exclusivamente, em cumprir com os deveres intramundanos, tal como decorrem da posição do indivíduo na vida, a qual por isso mesmo se torna a sua "vocação profissional" (WEBER, 2004b, p. 72).

Esta é uma passagem verdadeiramente importante, em que Weber já reúne uma série de argumentos que serão desenvolvidos ao longo de seu livro. De modo geral, o catolicismo opera mediante a distinção entre regras e conselhos,[15] tendo na figura dos monges um dos principais representantes de sua ética. Neste caso, a ideia

---

15. Em *História geral da economia*, é possível encontrar um aprofundamento dessa temática, relacionada à "dupla ética" que caracterizava o período anterior à Reforma Protestante (WEBER, 2003, p. 365).

de vida metódica e ascese – tão caras para o protestantismo, como será destacado – fica restrita aos monastérios, apartando-se da vida cotidiana da sociedade em geral, manifestando o significado do *tradicionalismo* mencionado ainda na introdução deste livro.

Segundo o próprio Weber, a Bíblia – da qual Lutero tirava a ideia de *Beruf* – "pendia totalmente para uma orientação tradicionalista" (WEBER, 2004b, p. 75). Assim, no Antigo Testamento domina a ideia de que as pessoas devem se contentar apenas com o devido "sustento", "o pão nosso de cada dia nos dai hoje", deixando que os "ímpios" se destinem ao lucro. E mesmo o Novo Testamento foi essencialmente tradicionalista: "já que tudo aguarda a vinda do Senhor, que cada qual permaneça na posição social e no ganha-pão terreno no qual o 'chamado' do Senhor o encontrou e que trabalhe como antes" (WEBER, 2004b, p. 76).

Como destacado anteriormente, o movimento que levou a considerar a vocação como algo relacionado à profissão remete ao pensamento de Lutero, já que nele se manifesta a concepção de que apenas o cumprimento dos deveres intramundanos pode agradar a Deus. Mas isso não significa que a Reforma Protestante seja a *causa* do espírito do capitalismo. Ora, Weber faz questão de salientar: o que se observa neste momento é o surgimento de uma concepção de modo de vida que irá se aproximar cada vez mais do *homo oeconomicus* capitalista, ainda que o próprio Lutero se mantivesse preso às "amarras tradicionalistas" (WEBER, 2004b, p. 77).[16]

Isso ocorre devido à ênfase luterana na ideia de *permanecer* na profissão, algo bastante diferente da concepção de que o trabalho

---

16. Como destaca Martin Riesebrodt, "a caracterização de Weber do luteranismo remonta ao teólogo Matthias Schneckenburger (1804-1848) (cf. GRAF, 1993). Para Schneckenburger, assim como para Weber, o luteranismo é tradicionalista e passivo, enquanto o calvinismo seria ativo e modernizador" (RIESEBRODT, 2012, p. 172).

profissional seria a principal missão dada por Deus. De todo modo, se a acomodação do sentido da vocação – *Beruf* – ao referido *homo oeconomicus* passa necessariamente pelo calvinismo e pelo puritanismo inglês, razão pela qual Weber salienta que "a ênfase da ideia puritana de profissão recai sempre nesse caráter metódico da ascese vocacional, e não, como em Lutero, na resignação à sorte que Deus nos deu de uma vez por todas" (WEBER, 2004b, p. 147),[17] neste primeiro capítulo importa compreender mais detidamente não só o sentido da concepção católica subjacente ao tradicionalismo, mas sobretudo sua maneira de conceber e avaliar o capitalismo.

APROFUNDANDO O SENTIDO DO TRADICIONALISMO: A CONCEPÇÃO CATÓLICA DA VIDA ECONÔMICA

Curiosamente, o estilo de vida tradicionalista não aparece em muitos trechos de *A ética protestante e o espírito do capitalismo*. Logo no início, Weber chama a atenção para uma discussão bastante comum naquele momento – início do século XX – tanto na imprensa e na literatura católicas como nos congressos católicos da Alemanha:

> o caráter predominantemente *protestante* dos proprietários do capital e empresários, assim como das camadas superiores da mão-de-obra qualificada, notadamente do pessoal de mais alta qualificação técnica ou comercial das empresas modernas (WEBER, 2004b, p. 29, grifo do autor).

Essa constatação era particularmente vivida por aqueles que procuravam compreender o contraste existente entre essas duas confissões religiosas – católicos e protestantes – e sua relação com

---

17. Tema que será abordado no capítulo 2.

a vida econômica, de modo que Weber faz menção a um autor que dizia o seguinte:

> O católico [...] é mais sossegado; dotado de menor impulso aquisitivo, prefere um traçado de vida o mais possível seguro, mesmo que com rendimentos menores, a uma vida arriscada e agitada que eventualmente lhe trouxesse honras e riquezas. Diz por gracejo a voz do povo: "bem comer ou bem dormir, há que escolher". No presente caso, o protestante prefere comer bem, enquanto o católico quer dormir sossegado (WEBER, 2004b, p. 34).

Weber sabe muito bem que essa é uma caracterização apenas em parte correta, já que os protestantes não se deixam enquadrar muito bem na ideia de busca por "honras" e por uma certa "alegria com o mundo".[18] De todo modo, gostaríamos de destacar a aproximação entre catolicismo e tradicionalismo, algo que Weber captou ao resumir o que seria sua atitude típica: "o ser humano não quer 'por natureza' ganhar dinheiro e sempre mais dinheiro, mas simplesmente viver, viver do modo como está habituado a viver e ganhar o necessário para tanto" (WEBER, 2004b, p. 53). É exatamente essa *disposição* que caracteriza o espírito da "economia tradicionalista", manifestada em uma passagem citada já na introdução deste livro:

> a cadência de vida tradicional, o montante de lucros tradicional, a quantidade tradicional de trabalho, o modo tradicional de conduzir os negócios e de se relacionar com os trabalhado-

---

18. Na verdade, uma das principais contribuições de Weber é mostrar que o protestantismo enquanto bloco unitário é uma falácia, subsistindo diferenças nucleares entre Lutero e Calvino, por exemplo. No capítulo 2, abordaremos essa questão de modo mais aprofundado.

res e com a freguesia, por sua vez essencialmente tradicional, a maneira de conquistar clientes e mercados (WEBER, 2004b, p. 59-60).

Essa vida do "aconchego" (WEBER, 2004b, p. 60) será violentamente perturbada pela sociabilidade capitalista, de modo que a vida *pelo trabalho* aparecerá como algo sem sentido, demonstrando "o quanto há de [tão] *irracional* numa conduta de vida em que o ser humano existe para o seu negócio e não o contrário" (WEBER, 2004b, p. 62, grifo do autor). Como destaca Sell, isso significa que a diferença *qualitativa* entre católicos e puritanos "reside no fato de que a conduta destes últimos carece de um elemento decisivo: a *sistematicidade*" (SELL, 2016, p. 39, grifo do autor). Daí a importância de também considerarmos a seguinte reflexão de Weber:

> [É] precisamente *isso* que, ao homem pré-capitalista, parece tão inconcebível e enigmático, tão sórdido e desprezível. Que alguém possa tomar como fim de seu trabalho na vida exclusivamente a ideia de um dia descer à sepultura carregando enorme peso material em dinheiro e bens parece-lhe explicável tão só como produto de um impulso perverso: a *auri sacra fames*[19] (WEBER, 2004b, p. 63, grifo do autor).

É por isso mesmo bastante elucidativa a caracterização do católico, do ponto de vista ético, como alguém que vivia *von der Hand in der Mund* [da mão para a boca], isto é, como aquele sujeito que "cumpria conscientemente os deveres tradicionais" (WEBER, 2004b, p. 105). Mas a isso se soma um decisivo "encantamento do mundo": no âmbito das *práticas*, o catolicismo manifesta a presença da *magia* no mundo. As ações isoladas dos indivíduos

---

19. Cujo significado é "maldita fome de ouro".

em benefício da sociedade – as "boas obras" – são vistas como uma espécie de *crédito* em favor de seu autor (WEBER, 2004b, p. 106). Ou seja,

> O católico tinha à sua disposição a *graça sacramental* de sua Igreja como meio de compensar a própria insuficiência: o padre era um mago que operava o milagre da transubstanciação e em cujas mãos estava depositado o poder das chaves (WEBER, 2004b, p. 106, grifo do autor).

Como será destacado no capítulo 2, o calvinismo significará exatamente a "conclusão" do processo de desencantamento do mundo (WEBER, 2004b, p. 96).[20] Não que o catolicismo nunca tenha observado tentativas de vida "metódica" em que o estilo de vida adquiria um cunho ordenado. Mas, de modo geral, faltava-lhe a referida sistematicidade, e a própria noção católica de graça sacramental trazia consequências significativas. Tendo o significado de *compensar* a insuficiência dos indivíduos,

---

20. Cumpre desde já observar que, por meio da doutrina da predestinação, Calvino não concebe espaço para qualquer elemento transcendental na existência terrena. Nesse contexto, "toda criatura está separada de Deus por um abismo intransponível e aos olhos dele não merece senão a morte eterna, a menos que ele, para a glorificação de sua majestade, tenha decidido de outra forma. De uma coisa apenas sabemos: que uma parte dos seres humanos está salva, a outra ficará condenada. Supor que mérito humano ou culpa humana contribuam para fixar esse destino significaria encarar as decisões absolutamente livres de Deus, firmadas desde a eternidade, como passíveis de alteração por obra humana: ideia impossível" (WEBER, 2004b, p. 94). Consequentemente, o aspecto subjetivo decorrente é a *solidão interior do indivíduo*, de modo que ninguém – nenhum pregador, nenhum padre, nenhuma Igreja e, consequentemente, nenhuma "boa ação" – poderia ajudá-lo. Se aqui se manifesta um dos principais pilares da ascese intramundana do trabalho árduo e sistemático, será necessário questionar – já no capítulo 3 – como o novo pentecostalismo se relaciona com isso, principalmente em virtude do forte componente mágico decorrente da já mencionada *teologia da dominação*, segundo a qual a existência terrena é caracterizada por uma *guerra espiritual* entre Deus, o Diabo, anjos e demônios.

o sacramento da penitência tinha um efeito psicológico tranquilizador, pois a certeza do perdão ensejava uma descarga de tensões a que está submetido quem busca a salvação. Na prática, ela era uma forma de alívio frente à necessidade de uma estrita coerência de vida que, dada a condição humana, já era dada como inalcançável. Para traduzir essa ideia, Weber serviu-se de um conceito diretamente retirado na psicanálise de Freud: a "ab-reação" (SELL, 2016, p. 40).

Além disso, é importante atentar para o fato de que, na concepção tradicionalista, o monge é visto como o "indivíduo *par excellence*" da vida metódica católica. Ora, isso traz significativas implicações para a ideia de *acumular por acumular* típica da ascese protestante, consequências próximas da verdadeira repulsa. Daí a precisa observação feita por Amintore Fanfani:

> O pré-capitalista é mais tradicionalista, ou seja, mais apegado aos meios que considera suficientes para o seu objetivo. Contenta-se com o bem que tem, e não vai procurar o melhor, pela simples razão de que não se perturba com a procura de algo que lhe traga retornos cada vez maiores (FANFANI, 2003, p. 61).

Essas referências são importantes para perceber as razões pelas quais a Reforma Protestante pode ser vista como a tentativa de fazer com que cada cristão seja um monge ao longo de toda a sua vida (WEBER, 2004b, p. 110), com o que também se percebe o efeito psicológico "de liberar o *enriquecimento* dos entraves da ética tradicionalista", isto é, da ética católica, igualmente rompendo "as cadeias que cerceavam a ambição de lucro, não só ao legalizá-lo, mas também ao encará-lo como diretamente querido por Deus" (WEBER, 2004b, p. 155, grifo do autor).

Daí o argumento de Swedberg ao salientar que o aspecto não mágico da religião foi fundamental para o desenvolvimento do capitalismo, algo que tem no judaísmo uma de suas primeiras manifestações: "o judaísmo ajudou a quebrar o tradicionalismo através da sua hostilidade à magia e também através da profecia" (SWEDBERG, 1998, p. 19). Em suma: ainda que uma apresentação mais detalhada dos componentes do calvinismo e do puritanismo inglês tenha que aguardar um pouco, neste instante nos interessa suas *consequências* frente ao então hegemônico tradicionalismo católico:

> a valorização religiosa do trabalho profissional mundano, sem descanso, continuado, sistemático, como o meio ascético simplesmente supremo e a um só tempo comprovação o mais segura e visível da regeneração de um ser humano e da autenticidade de sua fé, tinha que ser, no fim das contas, a alavanca mais poderosa que se pode imaginar da expansão dessa concepção de vida que aqui temos chamado de "espírito" do capitalismo. E confrontando agora aquele estrangulamento do consumo com essa desobstrução da ambição de lucro, o resultado externo é evidente: *acumulação de capital mediante coerção ascética à poupança*. Os obstáculos que agora se colocam contra empregar em consumo o ganho obtido acabaram por favorecer seu emprego produtivo: *o investimento* de capital (WEBER, 2004b, p. 157, grifos do autor).

Essas reflexões de Weber sobre o relacionamento entre catolicismo e capitalismo são, sem dúvida alguma, importantes para os propósitos deste livro, e estão inseridas dentro de um quadro interpretativo que considera a religião enquanto um sistema moral, analisando como se articulam os componentes que formam uma determinada ética. Ora, uma vez que a religião impõe um domínio – ainda que abstrato, não correspondendo necessariamente à manifestação empírica do agir cotidiano – sobre a ação social, a concepção religiosa em maior ou menor medida pode afetar a atividade econômica das diferentes sociedades.

Note-se, no entanto, que isso não significa supor que um aspecto cultural *determine* nossa reprodução social, assim como seria equivocado supor que um aspecto material – econômico, por exemplo – atue como o único responsável pela estruturação da sociedade. Como destaca Swedberg, em Weber concorrem três fatores que explicam a gênese do capitalismo, quais sejam, econômico, político e religioso (SWEDBERG, 1998, p. 18). Apesar dessa advertência já ter sido feita, é importante atentar para duas manifestações explícitas de Weber. A primeira, no final da primeira parte de *A ética protestante e o espírito do capitalismo*:

> Não se deve de forma alguma defender uma tese tão disparatadamente doutrinária que afirmasse por exemplo: que o "espírito capitalista" (sempre no sentido provisório dado ao termo aqui) *pôde surgir somente* como resultado de determinados influxos da Reforma [ou até mesmo: que o capitalismo enquanto *sistema econômico* é um produto da Reforma] [...]. Trata-se apenas de averiguar se, e até que ponto, influxos religiosos *contribuíram* para a cunhagem qualitativa e a expansão quantitativa desse "espírito" mundo afora, e quais são os *aspectos* concretos da *cultura* assentada em bases capitalistas que remontam àqueles influxos (WEBER, 2004b, p. 82-83, grifo do autor).

E a segunda, no último parágrafo do livro:

> Embora o homem moderno, mesmo com a melhor das boas vontades, geralmente não seja capaz de imaginar o efetivo

alcance da significação que os conteúdos de consciência religiosos tiveram para a conduta de vida, a cultura e o caráter de um povo, não cabe contudo, evidentemente, a intenção de substituir uma interpretação causal unilateralmente "materialista" da cultura e da história por uma outra espiritualista, também ela unilateral. *Ambas são igualmente possíveis,* mas uma e outra, se tiverem a pretensão de ser, não a *etapa preliminar,* mas a *conclusão* da pesquisa, igualmente pouco servem à verdade histórica (WEBER, 2004b, p. 167, grifos do autor).

Tendo isso em mente, convém agora avançar no aprofundamento da relação entre religiões e ação social econômica. Se o foco de Weber está acima de tudo no campo protestante – em especial no estudo dos calvinistas e dos puritanos ingleses –, é importante aprofundar um pouco mais como se dá essa relação entre catolicismo e capitalismo.[21] Segundo Fanfani, uma das principais referências do ideal católico da vida econômica está nas reflexões de Tomás de Aquino (FANFANI, 2003, p. 106), base a partir da qual o autor propõe uma metáfora bastante sugestiva:

> O homem sobe da terra ao céu por uma escada, à cabeça da qual está a bem-aventurança eterna. Em certas distâncias há fases intermédias a serem alcançadas na subida. Cada degrau é um degrau mais próximo da etapa próxima, mas também do último de todos. Se tentarmos chegar à etapa próxima obliquamente, perdemos a escada principal e já não avançamos para o objetivo final (FANFANI, 2003, p. 107).

---

21. Isso não significa que o catolicismo seja algo indiferente para Weber. Pelo contrário, a estadia na Itália, em especial, em Roma, será particularmente importante em sua vida, mesmo para a redação de *A ética protestante e o espírito do capitalismo*. Nesse sentido, ver o oitavo capítulo da monumental biografia de Weber escrita por Dirk Kaesler (2014).

É a partir dessa concepção geral que se pode pensar a questão econômica. Como se vê, *todas* as esferas da vivência humana são permeáveis ao ideal de vida católico. Assim, a necessidade *moral* de atingir o fim último *circunscreve* a esfera humana nas atividades profissionais, domésticas, políticas e econômicas (FANFANI, 2003, p. 107). Consequentemente,

> o fim último do homem, quer ele reze, trabalhe, estude, faça negócios, coma ou se divirta, é sempre Deus, e todos os meios que o levam a estudar, trabalhar, fazer negócios, comer, etc., devem, ao mesmo tempo, servir de molde a levá-lo a alcançar a Visão Beatificada. Por outras palavras, a ação humana deve ser uma oração contínua (FANFANI, 2003, p. 107).

Ou seja, todos os meios humanos – o que significa considerar igualmente os meios econômicos que caracterizam a busca pelo menor custo possível – serão julgados racionais ou irracionais na medida em que conduzem o homem para a realização de Deus.

Isso significa que há uma *hierarquia* de "racionalidades", no preciso sentido de que as racionalidades mediatas – a econômica, por exemplo – devem sempre conduzir à racionalidade que conecta o homem a Deus, não podendo aquelas se sobreporem a esta. Esse delicado balanceamento e suas consequências são abordados por Fanfani de modo particularmente claro:

> Se, como empreiteiro, eu tiver de fornecer matérias-primas a uma fábrica, tentarei obtê-las ao menor custo possível. Mas, como católico, tenho de ver se, na prática, este critério econômico não entra em conflito com fins extra-econômicos superiores aos fins econômicos, por exemplo, os fins sociais. Se este conflito existir, não posso hesitar e devo escolher os meios economicamente mais dispendiosos, mas que sejam,

em termos sociais, mais racionais. Então, supondo que a hierarquia dos fins mediados se esgota, tenho de ver se esse meio é racional do ponto de vista da realização de Deus. Se assim não for, tenho ainda de procurar outro; só depois de o ter encontrado e adotado é que a minha ação poderá começar legalmente (FANFANI, 2003, p. 108).

Esse exemplo é cristalino quanto aos *laços* que o catolicismo dá na atividade econômica, notadamente no que se refere à aquisição e ao uso da riqueza. Já foi mencionado que o papa Francisco é hoje um dos principais críticos da idolatria do dinheiro que caracteriza o capitalismo financeirizado. Mas antes de atentar para as suas fundamentais reflexões – importantíssimas em um país com hegemonia católica como o Brasil –, convém apresentar mais algumas informações gerais.

Note-se desde já[22] que a crítica à racionalidade da *atividade econômica* não se confunde com a crítica ao dinheiro por si só. Para o catolicismo, a prata, o ouro ou mesmo o dólar não são essencialmente ruins. O juízo se dá quanto ao *uso* desses meios. Por isso mesmo, não se trata de qualquer questionamento da propriedade privada. Pelo contrário: os bens terrenos constituem meios que *devem* ser possuídos pelos homens para que estes possam satisfazer suas necessidades pessoais e comuns. Esta é, na verdade, a ideia a partir da qual derivam todas as regras católicas referentes à ação econômica (FANFANI, 2003).

Essa concepção geral traz como corolário a ideia de que a denúncia católica está preocupada não com a posse da riqueza, mas

---

22. O raciocínio subsequente ficará claro quando analisarmos as reflexões do papa Leão XIII na famosa encíclica *Rerum Novarum* (1891) e as reflexões do papa Pio XI em sua encíclica comemorativa dos 40 anos da *Rerum Novarum*, ambas tematizadasna próxima seção.

com a possibilidade desta se transformar em objetivo da vida, significando isso um distanciamento de Deus. Por isso é possível dizer que a doutrina católica a respeito da aquisição de riquezas exige que os homens devam respeitar *duas regras*: (i) os bens devem ser adquiridos por meios lícitos; e (ii) o montante adquirido não deve exceder a necessidade de cada um.

Como destacado por Fanfani, essas regras restringem, respectivamente, a escolha e a utilização dos meios de aquisição de riqueza. Consequentemente,

> o não respeito de tais limites seria uma ofensa a Deus, uma violação das regras de justiça, honestidade e moderação; uma subversão da ordem divina, que forneceu bens para suprir as necessidades de todos, e não para a ganância de uns poucos; com o risco de que o homem, na sua ansiedade por bens, possa esquecer o Criador (FANFANI, 2003, p. 110).

Isso também explica a ênfase dada pelo catolicismo à caridade. Uma vez que o dinheiro deve suprir as necessidades corporais dos homens, é fundamental que os ricos *comuniquem* o excesso com aqueles que não têm condições suficientes, garantindo com isso que o corpo nutrido do próximo sirva como base para a salvação da alma de todos. Se tanto o trabalho como o esforço aquisitivo são justificáveis, desde que caminhem na direção da satisfação das necessidades pessoais e do próximo, então passa a ser condenável não só o esforço pela mera acumulação de dinheiro, mas também a busca por prestígio social e a tentativa de fazer com que os filhos sejam mais ricos e poderosos que os pais, além da histórica rejeição à prática de juros.[23]

---

23. Fanfani salienta que essa rejeição se manteve praticamente inalterada, sendo até mesmo aprofundada diante dos receios de que os juros alimentassem a ânsia

Note-se, no entanto, que isso não significa que não seja permitido trabalhar visando o lucro tendo em vista os acontecimentos futuros. Tal como colocado por Fanfani,

> um homem pode trabalhar com vista a ganhar, não só para satisfazer as necessidades de hoje, mas também as necessidades futuras, mais do que prováveis, para as quais não espera ser capaz de prover quando estas se lhe deparam. A previsão, diz São Tomás, deve ser razoável. Em suma, é preciso ter cuidado para que a ansiedade excessiva pelo lucro, levada para fora pela porta, não volte pela janela. Assim, trabalhar e ganhar é legítimo, desde que o trabalho e o ganho busquem a satisfação da *praesentis vitae necessitatem* (a necessidade da vida presente), e a antecipação das necessidades futuras não mascare um acúmulo de necessidades em excesso (FANFANI, 2003, p. 112).

E por isso mesmo é importante perceber que não se trata de *condenar* o comércio, algo particularmente comum no catolicismo medieval. Neste contexto - ou seja, em um modo de produção pré-capitalista -, a vida econômica era "estagnada" em consequência do caráter essencialmente agrícola da sociedade da época, o que favorecia a opinião de que a atividade comercial era parasitária, manifestação da usura e da especulação que faziam com que a riqueza móvel - o dinheiro - fosse vista como fruto da rapina e da fraude, e não do trabalho (BOISSONNADE, 2011, p. 159).[24]

---

do dinheiro pelo dinheiro, símbolo do fetichismo dos mercados financeiros (um tema que será analisado principalmente pelo papa Francisco em um artigo escrito em 2018 sobre os derivativos, como será destacado na próxima seção). Assim, "a ansiedade para assegurar o respeito pela moralidade nesta esfera predominava de tal forma que durante muito tempo os moralistas encorajaram os homens a satisfazerem as necessidades da vida econômica, não por meio de um simples empréstimo, mas por meio da associação nas empresas" (FANFANI, 2003, p. 103).
24. Como se sabe, essa narrativa "parasitária" ainda é particularmente presen-

Se hoje em dia demanda-se que o comércio constitua um meio significativo para os fins envolvidos na realização do único bem eterno dos homens, isso nada mais é do que a expressão da doutrina católica do *preço justo*, mais uma consequência da influência dessa concepção religiosa na vida econômica. E o que isso significa? Assim como os comerciantes não devem adulterar as mercadorias nem obter ganhos ilícitos mediante não pagamento dos trabalhadores, estes devem receber um *salário justo*. Como se vê, trata-se do mesmo argumento que também orienta a questão da *poupança*: trabalhar apenas para acumular é ilegítimo, de modo que a poupança só é válida perante Deus quando serve à satisfação das necessidades futuras (FANFANI, 2003). Assim, todas essas consequências derivam dos princípios do equilíbrio, do justo meio, do uso social dos bens e da subordinação do físico à vantagem espiritual, um conjunto que implica a exigência de

> uma moderação incompatível com a mesquinhez do avarento ou com a generosidade do gastador, tal como é incompatível com as ansiedades de um homem que vê em cada ação econô-

---

te, principalmente em virtude da crise do *subprime*, em 2008. Por isso mesmo, é fundamental atentar para o trabalho desenvolvido por Urs Stäheli em seu livro *Especulação espetacular*, em que discute como se deu o processo de legitimação das bolsas de valores, em particular nos Estados Unidos da América (EUA). A principal disputa – até hoje observável, cumpre enfatizar uma vez mais – dizia respeito à distinção entre *speculation* e *gambling*, entre especular e apostar, especulador e apostador. No entanto, a perspectiva começa a mudar apenas no século XIX. Com o passar do tempo tornou-se particularmente clara as contribuições da bolsa para a economia: (i) diferenciar riscos e determinar preços; (ii) constituir uma espécie de atividade visionária acerca das atividades econômicas mais rentáveis; e (iii) identificar falhas no mercado, atuando como um mecanismo autocorretivo. Como era de se esperar, essa percepção exigia novos esforços para compreender, aceitar e legitimar a especulação, distanciando-a da figura do apostador e enfatizando sua função econômica de impedir que outras esferas (o direito, o Estado) passassem a querer regular a economia (STÄHELI, 2007, p. 76-89).

mica apenas uma operação produtiva de riqueza (FANFANI, 2003, p. 114).

Diante dessa breve retomada dos laços impostos pela religiosidade católica à vida econômica, chama a atenção como o argumento norteador apresentado algumas páginas atrás – de que há uma *hierarquia das racionalidades*, de modo que todas as racionalidades-meios, incluindo a econômica, devem levar à racionalidade religiosa que nos conecta com Deus – choca-se frontalmente com o atual modo capitalista de organizar a reprodução social. O capitalismo desenvolvido é caracterizado justamente pela ideia de *separação* dos objetivos humanos. Mais precisamente, a sociedade moderna se organiza dando ênfase à autonomização da racionalidade econômica frente à racionalidade religiosa. Esta não é simplesmente negada por aquela, mas parte-se do pressuposto de que, ainda que seja possível a existência de uma ordem transcendental, isso em nada afeta a ordem econômica. Em suma: tanto o "sistema econômico" como o "sistema religioso" passam a ser concebidos como sistemas impermeáveis a influências externas.

Mas se assim for, isso também significa que no capitalismo o estilo de vida passa a se orientar pelo princípio da *utilidade econômica individual*.[25] O resultado *social* dessa perspectiva se manifesta em uma organização que potencializa a autonomia do indivíduo,

---

25. Que esse utilitarismo tenha relação com a Reforma Protestante e, em especial, com o puritanismo e sua "virada utilitária" é algo que Weber soube muito bem destacar: "aqueles vigorosos movimentos religiosos cuja significação para o desenvolvimento econômico repousava em primeiro lugar em seus efeitos de *educação* para a ascese, só desenvolveram com regularidade toda a sua eficácia *econômica* quando o ápice do entusiasmo *puramente* religioso já havia sido ultrapassado, quando a tensão da busca pelo reino de Deus começou pouco a pouco a se resolver em sóbria virtude profissional, quando a raiz religiosa definhou lentamente e deu lugar à intramundanidade utilitária" (WEBER, 2004b, p. 160, grifo do autor). Como já destacado, aprofundaremos essa temática no capítulo 2.

"que na maioria dos casos é obrigado a adotar o critério da utilidade como norma de ação para não se expor à perda" (FANFANI, 2003, p. 115). Assim,

> dadas as aspirações e fins do capitalismo, a organização natural da vida social numa era capitalista é a do liberalismo político e econômico, e precisamente nesse ambiente a lei do risco regula automaticamente o desenvolvimento do capitalismo. Uma vez aberto este caminho, muitos sentirão que é inevitável seguir em frente, outros considerá-lo-ão mais lucrativo, e outros sentirão que é impossível deter o seu curso ou voltar atrás. Uma vez que a organização social tenha adotado os objetivos do capitalismo, ela adota os seus padrões de julgamento, daí as suas ideias de justo e injusto, adequado e inapto, normal e anormal. Em consequência, forja os instrumentos que por tais padrões parecem eficientes para o alcance de tais objetivos (FANFANI, 2003, p. 115).

Aqui, deve-se atentar para os mencionados "padrões de julgamento" que são próprios do capitalismo. Segundo Fanfani, a consequência imediata dessa autoavaliação é a impossibilidade de criticar o capitalismo *a partir dele mesmo*. Daí a importância da doutrina católica, cuja vitalidade não está em negar a racionalidade econômica, mas sua pretensa autonomia e exclusividade, delimitando-a pelos princípios católicos que ordenam a vida humana a partir da realização divina (FANFANI, 2003).

Trata-se de um raciocínio que nos leva à seguinte reflexão: de um lado, é particularmente claro que a ética católica vai *de encontro* ao desenvolvimento do capitalismo, de modo que

> numa época em que a concepção católica da vida tinha um verdadeiro domínio sobre a mente, a ação capitalista só

poderia ter-se manifestado como algo errado, condenável, espasmódico e pecaminoso, a ser enganado pela fé e conhecimento do próprio agente (FANFANI, 2003, p. 116).[26]

Do outro, é exatamente essa situação que impele a Igreja católica a agir diante dos efeitos causados pela sociabilização capitalista, notadamente em virtude do individualismo exacerbado que lhe aparece como elemento ilegítimo para a organização da vida (FANFANI, 2003).

É precisamente essa ação que passa a nos interessar a partir de agora, algo que está intimamente associado ao magistério da Igreja. Veja-se: Weber estava preocupado em analisar o efeito psicológico da literatura católica, no sentido de compreender sua efetividade nas práticas sociais. Mas em *A ética protestante e o espírito do capitalismo* ele não chegou a abordar a Igreja como instituição (SELL, 2016). Por isso mesmo, o interesse pelas encíclicas é particularmente importante para aprofundarmos uma análise de matriz weberiana.

Trata-se, assim, da oportunidade de verificar como um corpo teórico se materializa nas correspondências eclesiásticas, compondo um discurso cuja análise mostra-se, hoje em dia, particularmente importante. Como já destacamos, o papa Francisco é atualmente um dos principais críticos do mercado financeiro, um fato não só muitas vezes ignorado – em particular no meio econômico em que se manifestam a maioria das análises *mainstream* – como menosprezado enquanto possível fator para a compreensão do sentido econômico da ação social.

---

26. Esta interpretação de Fanfani não significa que não haja discussão na literatura, bastando mencionar a posição de Michael Novak (1991) acerca do espírito *democrático* do capitalismo.

A REFLEXÃO DO MAGISTÉRIO DA IGREJA CATÓLICA SOBRE O CAPITALISMO: UM CAMINHO ATÉ O PAPA FRANCISCO

Seria possível iniciar esta última seção do capítulo 1 salientando desde já o arcabouço conceitual que orienta o papa argentino em suas críticas ao mercado financeiro, expressadas principalmente na encíclica *Evangelii Gaudium* (2013), *Laudato si* (2015) e no artigo *Considerações para um discernimento ético sobre alguns aspectos do atual sistema econômico-financeiro* (2018).

No entanto, é interessante notar como algumas de suas reflexões se conectam com análises feitas há mais de cem anos pela Igreja católica, exacerbando assim um discurso de longa data de crítica ao capitalismo.[27] Por isso mesmo, as próximas páginas apresentarão algumas reflexões de caráter mais histórico, referentes aos papas Leão XIII e Pio XI, ambos diretamente associados à famosa encíclica *Rerum Novarum* [Das coisas novas] (1891), de um lado, e à retomada e ao aprofundamento da crítica à economia pelas palavras do papa Bento XVI e, então, pelo papa Francisco.[28]

---

27. Isso não significa que não seja possível observar posicionamentos mais ou menos favoráveis ao desenvolvimento do capitalismo no seio da Igreja católica, como no que diz respeito à defesa da propriedade privada, o respeito à personalidade individual e a limitação do poder absolutista. Nesse sentido, Fanfani salienta que "enquanto o catolicismo continuar católico, nunca poderá aceitar uma sociedade como a nossa, em que os teares mecânicos e sem fios são os instrumentos para atingir objetivos muito diferentes dos propostos pelo catolicismo [...] o *ethos* católico é anticapitalista [...], o catolicismo se opôs ao estabelecimento do capitalismo, mesmo que de certa forma tenha favorecido o seu progresso nesta ou naquela direção" (FANFANI, 2003, p. 126). Também não ignoramos a profunda divergência entre os papas a respeito dos mais variados temas e disputas religiosas. No entanto, nosso interesse aqui se refere tão somente à temática econômica.

28. Todas as encíclicas citadas podem ser encontradas no site do Vaticano (http://www.vatican.va/offices/papal_docs_list_po.html).

O papa Leão XIII e a encíclica *Rerum Novarum*

Publicada em 1891, logo na introdução de sua encíclica, o papa Leão XIII (pontificado: 1878-1903) faz questão de contextualizar suas reflexões, que remetem ao conflito social cada vez maior entre *capital* e *trabalho*. Assim,

> os progressos incessantes da indústria, os novos caminhos em que entraram as artes, a alteração das relações entre os operários e os patrões, a influência da riqueza nas mãos dum pequeno número ao lado da indigência da multidão, a opinião enfim mais avantajada que os operários formam de si mesmos e a sua união mais compacta, tudo isto, sem falar da corrupção dos costumes, deu como resultado final um temível conflito (LEÃO XIII, 1891, p. 1).

Por isso mesmo, ele faz questão de salientar desde o início a necessidade de analisar a "condição dos operários", tendo em vista a tentativa de se chegar a uma solução "conforme à justiça e à equidade". Consciente das dificuldades, o papa Leão XIII não deixa de destacar a necessidade de "precisar com exatidão os direitos e deveres que devem ao mesmo tempo reger a riqueza e o proletariado, o capital e o trabalho" (LEÃO XIII, 1891, p. 2). Trata-se de algo cuja eficácia depende do diagnóstico das *causas* que levaram ao conflito, algo que ele remete à destruição das corporações antigas que garantiam proteção e auxílio às classes inferiores.

Mas não só, já que aqui incidem o desaparecimento do sentido religioso, a cobiça e a usura que caracterizavam uma concorrência desenfreada. Como se não fosse suficiente,

> a tudo isto deve acrescentar-se o monopólio do trabalho e dos papéis de crédito, que se tornaram o quinhão de um pequeno

número de ricos e de opulentos, que impõem assim um jugo quase servil à imensa multidão dos proletários (LEÃO XIII, 1891, p. 2).

Como se vê, essas breves reflexões retomam o argumento geral subjacente à ética católica e a sua indisposição com a racionalidade típica do capitalismo desenvolvido, brevemente analisadas na seção anterior. Ainda assim, deve-se atentar desde já para a perspicácia do papa Leão XIII, logo no início de seu papado, ao se manifestar acerca das possíveis soluções para o conflito entre capital e trabalho. Daí suas críticas à chamada "solução socialista", que pretenderia meramente inverter as regras do jogo, julgando necessário suprimir a propriedade privada, e que a posse individual deveria ser posse comum, de modo que sua administração deveria ser tutelada pelo Estado. Diante desse ideário, o papa Leão XIII não hesita em dizer que

> semelhante teoria, longe de ser capaz de pôr termo ao conflito, prejudicaria o operário se fosse posta em prática. Pelo contrário, é sumamente injusta, por violar os direitos legítimos dos proprietários, viciar as funções do Estado e tender para a subversão completa do edifício social (LEÃO XIII, 1891, p. 2).[29]

As razões disso remetem aos elementos que caracterizam a doutrina católica, razão pela qual o papa justifica o *direito natural* à propriedade privada. Assim, o homem seria caracterizado pela razão,

> e em virtude desta prerrogativa deve reconhecer-se ao homem não só a faculdade geral de usar das coisas exteriores, mas

---
29. Isso também vale para o comunismo, chamado pelo papa Leão XIII de "princípio de empobrecimento". Nesse caso, "em lugar dessa igualdade tão sonhada, a igualdade na nudez, na indigência e na miséria" (LEÃO XIII, 1891, p. 7).

ainda o direito estável e perpétuo de as possuir, tanto as que se consomem pelo uso, como as que permanecem depois de nos terem servido (LEÃO XIII, 1891, p. 3).

Trata-se de um argumento que também reverbera na questão referente ao uso comum dos bens. Ora, na medida em que as necessidades dos homens se repetem perpetuamente, a realização disso dependeria de um "elemento estável e permanente", qual seja a terra. Assim,

> posto que dividida em propriedades particulares, a terra não deixa de servir à utilidade comum de todos, atendendo a todos, uma vez que não há ninguém entre os mortais que não se alimente do produto dos campos. Quem não os tem, supre-os pelo trabalho, de maneira que se pode afirmar, com toda a verdade, que o trabalho é o meio universal de prover às necessidades da vida, quer ele se exerça num terreno próprio, quer em alguma parte lucrativa cuja remuneração sai apenas dos produtos múltiplos da terra, com os quais ela se comuta. De tudo isto resulta, mais uma vez, que a propriedade particular é plenamente conforme à natureza (LEÃO XIII, 1891, p. 4).

Veja-se: não só a terra é vista como raiz de todos os frutos, como o trabalho já aparece como "meio universal de prover às necessidades da vida". Se o conjunto do argumento legitima uma vez mais a posse particular, a manifestação de uma *lei de apropriação pelo trabalho próprio* já aparece claramente aqui. Na verdade, esses argumentos compõem a base a partir da qual o papa Leão XIII aborda a relação entre a Igreja e a questão social. Diante do conflito entre capital e trabalho, a doutrina católica se manifesta não pela *luta de classes*, mas pela *concórdia das classes*.

O alcance desse objetivo, no entanto, parte da aceitação da desigualdade *natural* entre os seres humanos – referente às diferenças de inteligência, talento, habilidade, saúde, força etc. –, o que torna "impossível que na sociedade civil todos sejam elevados ao mesmo nível" (LEÃO XIII, 1891, p. 7).[30] Note-se, no entanto, que isso não é visto como algo ruim. Pelo contrário, essa desigualdade "reverte em proveito de todos", já que "a vida social requer um organismo muito variado de funções muito diversas" (LEÃO XIII, 1891, p. 7). No entanto, permanece a indigesta pergunta: como, então, "aliviar os nossos males"? (LEÃO XIII, 1891, p. 8).

O papa Leão XIII inicia sua resposta salientando que "o erro capital na questão presente é crer que as duas classes são inimigas natas uma da outra, como se a natureza tivesse armado os ricos e os pobres para se combaterem mutuamente num duelo obstinado" (LEÃO XIII, 1891, p. 8). Consequentemente,

> assim também, na sociedade, as duas classes estão destinadas pela natureza a unirem-se harmoniosamente e a conservarem-se mutuamente em perfeito equilíbrio. Elas têm imperiosa necessidade uma da outra: não pode haver capital sem trabalho, nem trabalho sem capital. A concórdia traz consigo a ordem e a beleza; ao contrário, de um conflito perpétuo só podem resultar confusão e lutas selvagens (LEÃO XIII, 1891, p. 8).

É exatamente esse raciocínio que orienta a "economia das verdades religiosas" – cuja guardiã e intérprete é a Igreja católica – e que tem como objetivo "aproximar e reconciliar os ricos e os pobres, lembrando às duas classes os seus deveres mútuos e, primeiro que todos os outros, os que derivam da justiça" (LEÃO

---

30. Antonio Gramsci será um dos principais críticos dessa concepção, tecendo algumas considerações "sobre a pobreza, o catolicismo e a hierarquia eclesiástica" (GRAMSCI, 1977, p. 2087).

XIII, 1891, p. 8). E é por meio dessa concepção que o papa aborda as obrigações dos operários e dos patrões. Os primeiros devem fornecer integral e fielmente todo o trabalho a que se comprometeram por contrato livre e conforme à equidade e não devem lesar o seu patrão, nem nos seus bens, nem na sua pessoa, de modo que suas reivindicações sejam isentas de violências e nunca revistam a forma de sedições. Os segundos, por sua vez, não devem tratar o operário como escravo, mas respeitar nele a dignidade do homem.

Daí a ideia de que "o que é vergonhoso e desumano é usar dos homens como de vis instrumentos de lucro, e não os estimar senão na proporção do vigor dos seus braços" (LEÃO XIII, 1891, p. 8). Além disso, aos patrões compete velar para que o operário "não seja entregue à sedução e às solicitações corruptoras", sendo igualmente proibido impor aos subordinados um "trabalho superior às suas forças ou em desarmonia com a sua idade ou o seu sexo". Ainda assim, o papa Leão XIII faz questão de destacar que entre os principais deveres do patrão está "o de dar a cada um o salário que convém" (LEÃO XIII, 1891, p. 9). Em suma,

> os ricos devem precaver-se religiosamente de todo o ato violento, toda a fraude, toda a manobra usurária que seja de natureza a atentar contra a economia do pobre, e isto mais ainda, porque este é menos apto para defender-se, e porque os seus haveres, por serem de mínima importância, revestem um caráter mais sagrado. A obediência a estas leis – perguntamos Nós – não bastaria, só de per si, para fazer cessar todo o antagonismo e suprimir-lhe as causas? (LEÃO XIII, 1891, p. 9).

Se essas reflexões sobre o papel da Igreja no conflito entre capital e trabalho fazem o papa Leão XIII ter convicção de que as duas classes podem se unir "por laços de verdadeira amizade" (LEÃO XIII, 1891, p. 9), isso nada mais é do que uma consequência da hierarquia de racionalidades observadas na seção anterior. No âmbito do catolicismo, a racionalidade econômica deve levar – e por isso mesmo também se ajustar – à racionalidade religiosa que chama à realização de Deus. É esse fim transcendental que orienta todas as disposições até aqui analisadas, algo que não deixa de ser enfatizado pelo próprio papa:

> quando tivermos abandonado esta vida, só então começaremos a viver: esta verdade, que a mesma natureza nos ensina, é um dogma cristão sobre o qual assenta, como sobre o seu primeiro fundamento, toda a economia da religião (LEÃO XIII, 1891, p. 9).

Consequentemente, com isso afirma-se uma vez mais que a atitude crítica à racionalidade capitalista não reside nas coisas em si, mas no *uso* delas neste mundo terreno, uso que condiciona as possibilidades de salvação divina. É por esse motivo que a "economia dos direitos e dos deveres que ensina a filosofia cristã" (LEÃO XIII, 1891, p. 11) discutirá, em suas últimas considerações, a posse e o uso das riquezas. E aqui se materializam os elementos que apresentamos em diálogo com Fanfani, notadamente, a temática referente à caridade.

Disso resulta a manifestação do papa Leão XIII ao considerar que, "desde que haja suficientemente satisfeito à necessidade e decoro", todo indivíduo "deve lançar o supérfluo no seio dos pobres", um verdadeiro "dever de caridade cristã" que não pode ser alcançado apenas pela justiça humana (LEÃO XIII, 1891, p. 10). Logo,

> quem quer que tenha recebido da divina Bondade maior abundância, quer de bens externos e do corpo, quer de bens da alma, recebeu-os com o fim de os fazer servir ao seu pró-

prio aperfeiçoamento, e, ao mesmo tempo, como ministro da Providência, ao alívio dos outros (LEÃO XIII, 1891, p. 10).

Note-se, no entanto, que a ênfase na "divina Bondade" serve igualmente como critério para os "deserdados da fortuna", momento em que se manifesta uma vez mais a natureza da graça católica, tão vital para o entendimento desse *ethos* religioso. Uma vez que a vida terrena se mostra passageira, "a pobreza não é uma humilhação, e não se deve corar por ter de ganhar o pão com o suor do seu rosto" (LEÃO XIII, 1891, p. 11), com o que se realça uma vez mais o caráter conciliatório subjacente à encíclica *Rerum Novarum*, cuja mensagem final pode ser observada nas seguintes palavras:

> Quem tiver na sua frente o modelo divino, compreenderá mais facilmente o que Nós vamos dizer: que a verdadeira dignidade do homem e a sua excelência reside nos seus costumes, isto é, na sua virtude; que a virtude é o patrimônio comum dos mortais, ao alcance de todos, dos pequenos e dos grandes, dos pobres e dos ricos; só a virtude e os méritos, seja qual for a pessoa em quem se encontrem, obterão a recompensa da eterna felicidade. Mais ainda: é para as classes desafortunadas que o coração de Deus parece inclinar-se mais. Jesus Cristo chama aos pobres bem-aventurados: convida com amor a virem a Ele, a fim de consolar a todos os que sofrem e que choram; abraça com caridade mais terna os pequenos e os oprimidos. Estas doutrinas foram, sem dúvida alguma, feitas para humilhar a alma altiva do rico e torná-lo mais condescendente, para reanimar a coragem daqueles que sofrem e inspirar-lhes resignação. Com elas se acharia diminuído um abismo causado pelo orgulho, e se obteria sem dificuldade que

as duas classes se dessem as mãos e as vontades se unissem na mesma amizade (LEÃO XIII, 1891, p. 11).

O papa Pio XI e a encíclica em comemoração aos 40 anos da *Rerum Novarum*

A breve apresentação das principais ideias que norteiam a *Rerum Novarum* foi suficiente para perceber a importância dessa encíclica. Mais do que concretizar a doutrina católica e os elementos que compõem sua ética, o contexto em que ela aparece – verdadeiro prelúdio dos embates entre as classes e as potências imperialistas que teria na Primeira Guerra Mundial seu desfecho – era particularmente notável. Nesse sentido, é digno de nota que quarenta anos após sua publicação tenha surgido outra encíclica *Quadragesimo anno* [quadragésimo ano] não só em comemoração ao quadragésimo aniversário daquelas palavras do papa Leão XIII, mas sobretudo em função da necessidade de "restaurar" e "aperfeiçoar" a ordem social. Trata-se de uma reflexão feita pelo papa Pio XI (pontificado: 1922-1939), em 1931, apenas dois anos após a crise de 1929, a Grande Depressão, um contexto que era especialmente frutífero para a retomada da crítica católica ao capitalismo.

De certo modo, esta é a razão pela qual o papa faz questão de começar suas análises, lembrando que a *Rerum Novarum* "não pediu auxílio nem ao liberalismo nem ao socialismo, pois que o primeiro se tinha mostrado de todo incapaz de resolver convenientemente a questão social, e o segundo propunha um remédio muito pior que o mal, que lançaria a sociedade em perigos mais funestos" (PIO XI, 1931, p. 3). Daí o propósito de sua encíclica:

recordar os grandes benefícios que dela advieram à Igreja Católica e a toda a humanidade; defender a doutrina social

> e econômica de tão grande Mestre satisfazendo a algumas dúvidas, desenvolvendo mais e precisando alguns pontos; finalmente, chamando a juízo o regime econômico moderno e instaurando processo ao socialismo, apontar a raiz do mal-estar da sociedade contemporânea e mostrar-lhe ao mesmo tempo a única via de uma restauração salutar, que é a reforma cristã dos costumes (PIO XI, 1931, p. 4).

Veja-se a referência à "doutrina social e econômica", foco dessa breve retomada das palavras do papa Pio XI. É a partir dessa concepção que a *Rerum Novarum* é vista como uma verdadeira "Magna Carta" dos operários, isto é, um "sólido fundamento de toda atividade cristã no campo social" (PIO XI, 1931, p. 9). Ainda assim, o papa Pio XI sabe muito bem que os acontecimentos que levaram à crise de 1929 de certo modo contradiziam essa interpretação.

Ora, aqui se manifesta algo que também já foi retratado anteriormente, qual seja o embate entre a racionalidade econômica e a racionalidade religiosa. No meio econômico pré-1929, não há dúvidas de que o sentimento geral correspondia àquela compreensão que via no sistema religioso algo *externo* ao sistema econômico e, por isso mesmo, *indiferente* ao avanço da economia, algo explicitamente destacado pelo papa. Assim,

> pois ainda que a economia e a moral "se regulam, cada uma no seu âmbito, por princípios próprios", é erro julgar a ordem econômica e a moral tão encontradas e alheias entre si, que de modo nenhum aquela dependa desta. Com efeito, as chamadas leis econômicas, deduzidas da própria natureza das coisas e da índole do corpo e da alma, determinam os fins que a atividade humana se não pode propor, e os que pode procurar com todos os meios no campo econômico; e a razão

mostra claramente, da mesma natureza das coisas e da natureza individual e social do homem, o fim imposto pelo Criador a toda a ordem econômica (PIO XI, 1931, p. 10).

Esse raciocínio, como já destacado, é fundamental. Trata-se de propor – em 1931, pois cumpre atentar para o contexto – não apenas uma reaproximação entre economia e religião, mas de compreender de uma vez por todas que aquela só pode seguir seu caminho nos trilhos desta. Daí a ênfase na ideia de que o Criador *impõe* um fim – a salvação dos homens pela realização de Deus – à economia. Como se vê, trata-se uma vez mais de compreender a específica relação entre lei humana (secular, "positiva") e lei divina (moral, "natural"), possibilitando que os fins particulares da economia possam ser "inseridos facilmente na ordem geral dos fins" e, assim, contribuam para que todos nós alcancemos "o fim último de todos os seres, que é Deus, bem supremo e inexaurível para si e para nós" (PIO XI, 1931, p. 10).

Mas essa retomada da subordinação da economia aos mandamentos católicos não deveria significar uma *asfixia* da atividade econômica. Por isso mesmo, a encíclica em comemoração à *Rerum Novarum* faz questão de novamente enfatizar as índoles individual e social que legitimam e possibilitam toda e qualquer troca: a propriedade privada. O que se deve evitar é uma dupla escolha em que se pode cair: o *individualismo* típico do liberalismo que não vê limites, e o *coletivismo* característico que anula a liberdade (PIO XI, 1931, p. 11). Isso traz a necessidade de reafirmar a distinção entre direito de propriedade (legítimo) e seu uso (sujeito à ilegitimidade):

> Prestam portanto grande serviço à boa causa e são dignos de todo o elogio os que, salva a concórdia dos ânimos e a integridade da doutrina tradicional da Igreja, se empenham em

definir a natureza íntima destas obrigações e os limites, com que as necessidades do convívio social circunscrevem tanto o direito de propriedade, como o uso ou exercício do domínio. Pelo contrário, muito se enganam e erram aqueles que tentam reduzir o domínio individual a ponto de o abolirem praticamente (PIO XI, 1931, p. 12).

Note-se que será este mesmo raciocínio que legitimará a intervenção do Estado nos assuntos econômicos, embora a autoridade pública deva ser "iluminada sempre pela luz natural e divina" (PIO XI, 1931, p. 12). Ainda assim, o direito de propriedade deve ser respeitado, já que ele não só é natural (fruto da ordem social divina) como favorece o indivíduo, ente anterior ao próprio Estado. Consequentemente, se o *ethos* católico interfere nos poderes públicos, o papa Pio XI faz questão de enfatizar como os chamados "rendimentos livres" se ordenam a partir dessa perspectiva. Uma vez mais, aqui se manifesta o não arbítrio do homem sobre aquilo que excede a satisfação de suas necessidades, já que "as sagradas Escrituras e o santos Padres da Igreja intimam continuamente e com a maior clareza aos ricos o dever da esmola e de praticar a beneficência e magnificência" (PIO XI, 1931, p. 13).

É importante perceber que nessas reflexões já se apresentam os elementos que também moldarão o raciocínio do papa Pio XI acerca do "conflito" entre capital e trabalho, elemento que originou a *Rerum Novarum*. Se o papa Leão XIII já havia enfatizado a necessidade da concórdia entre as classes, e não da luta, o que se observa na encíclica de 1931 é um aprofundamento dessa reflexão, algo ainda mais necessário em virtude da precária unidade social decorrente da crise de 1929. Por isso mesmo, o papa Pio XI faz questão de destacar que "é inteiramente falso atribuir ou só ao capital ou só ao trabalho o produto do concurso de ambos; e é injustíssimo que um deles, negando a eficácia do outro, se arrogue a si todos os frutos" (PIO XI, 1931, p. 13). Essa *dependência* de ambos é o que permite ao papa salientar o que denomina "pretensões injustas do capital":

> É certo que por muito tempo pôde o capital arrogar-se direitos demasiados. Todos os produtos e todos os lucros reclamava-os ele para si, deixando ao operário unicamente o bastante para restaurar e reproduzir as forças. Apregoava-se, que por fatal lei econômica pertencia aos patrões acumular todo o capital, e que a mesma lei condenava e acorrentava os operários à perpétua pobreza e vida miserável. É bem verdade que as obras nem sempre estavam de acordo com semelhantes monstruosidades dos chamados liberais de Manchester: não se pode, contudo, negar que para elas tendia com passo certeiro e constante o regime econômico e social. Por isso não é para admirar que estas opiniões errôneas e estes postulados falsos fossem energicamente impugnados, e não só por aqueles a quem privavam do direito natural de adquirir melhor fortuna (PIO XI, 1931, p. 14).

A crítica da "fatal lei econômica", no entanto, não o impede de igualmente considerar as "pretensões injustas do trabalho", aprofundando as reflexões apresentadas pelo papa Leão XIII na *Rerum Novarum*. Assim,

> de fato, aos operários assim maltratados apresentaram-se os chamados "intelectuais", contrapondo a uma lei falsa um não menos falso princípio moral: "os frutos e rendimentos, descontado apenas o que baste a amortizar e reconstituir o capital, pertencem todos de direito aos operários". Erro mais

capcioso que o de alguns socialistas, para os quais tudo o que é produtivo deve passar a ser propriedade do Estado ou "socializar-se"; mas por isso mesmo erro muito mais perigoso e próprio a embair os incautos: veneno suave que tragaram avidamente muitos, a quem o socialismo sem rebuço não pudera enganar (PIO XI, 1931, p. 14).

Diante dessas injustiças, o fundamental para o papa Pio XI era estabelecer um *princípio diretivo da justa distribuição*. Se isso só poderia ocorrer atentando-se para a utilidade comum dos bens a ambas as classes, essa exigência pressupunha duas coisas: a reforma das instituições e a emenda dos costumes (PIO XI, 1931, p. 19). Daí derivaria não apenas a restauração da ordem, mas sobretudo a unidade social então ameaçada pela luta de classes.

A consequência direta desse raciocínio é expressa pelo próprio papa Pio XI, para quem "a reta ordem da economia não pode nascer da livre concorrência das forças", verdadeira "fonte envenenada" (PIO XI, 1931, p. 21). Na verdade, é justamente dessa repetida ideia – até hoje dominante, diga-se de passagem – que teriam derivado "todos os erros da ciência econômica individualista", justamente por ignorar que mesmo a atividade econômica está sujeita à lei divina. Consequentemente,

> a livre concorrência, ainda que dentro de certos limites é justa e vantajosa, não pode de modo nenhum servir de norma reguladora à vida econômica. Aí estão a comprová-lo os fatos desde que se puseram em prática as teorias de espírito individualista. Urge, portanto, sujeitar e subordinar de novo a economia a um princípio diretivo, que seja seguro e eficaz. A prepotência econômica, que sucedeu à livre concorrência não o pode ser; tanto mais que, indômita e violenta por natureza,

> precisa, para ser útil à humanidade, ser energicamente freada e governada com prudência; ora, ela não pode frear nem governar a si mesma. É forçoso, portanto, recorrer a princípios mais nobres e elevados: à justiça e caridade sociais. É preciso que esta justiça penetre completamente as instituições dos povos e toda a vida da sociedade; é sobretudo preciso que esse espírito de justiça manifeste a sua eficácia constituindo uma ordem jurídica e social que informe toda a economia, e cuja alma seja a caridade (PIO XI, 1931, p. 21).

Mais claro, impossível: é necessário "sujeitar" e "subordinar" a economia à racionalidade religiosa, percorrendo uma vez mais o caminho para a revelação divina. Isso seria ainda mais importante em virtude da evolução da economia nas primeiras décadas do século XX, um desenvolvimento que fez com que o capital escravizasse os operários ou a classe trabalhadora

> com o fim e condição de que os negócios e todo o andamento econômico estejam nas suas mãos e revertam em sua vantagem, desprezando a dignidade humana dos operários, a função social da economia e a própria justiça social e o bem comum (PIO XI, 1931, p. 24).

Assim, não é de se estranhar que a referida "evolução da economia" tenha significado que o regime capitalista da economia agora "se infiltrou e invadiu completamente todos os outros campos da produção, cujas condições sociais e econômicas afeta realmente e informa com suas vantagens, desvantagens e vícios" (PIO XI, 1931, p. 24).

Como se vê, as consequências da crise de 1929 são facilmente discerníveis nas críticas do papa Pio XI. Por isso mesmo, está longe de ser mera causalidade que ele afirme que a restauração social ardentemente desejada não pode ser alcançada "sem prévia e completa renovação do espírito cristão, do qual miseravelmente desertaram tantos economistas" (PIO XI, 1931, p. 29). Mais do que isso, a autoridade máxima da Igreja católica chega a empregar um conceito da filosofia política para se referir à situação da econômica da época, qual seja, o *despotismo econômico*:

> É coisa manifesta, como nos nossos tempos não só se amontoam riquezas, mas acumula-se um poder imenso e um verdadeiro despotismo econômico nas mãos de poucos, que na maioria das vezes não são senhores, mas simples depositários e administradores de capitais alheios, com que negociam os seus contratos. Este despotismo torna-se intolerável naqueles que, tendo nas suas mãos o dinheiro, são também senhores absolutos do crédito e por isso dispõem do sangue de que vive toda a economia, e manipulam de tal maneira a alma da mesma, que esta não pode respirar sem sua licença. Este acumular de poder e recursos, nota característica da economia atual, é consequência lógica da concorrência desenfreada, na qual só podem sobreviver os mais fortes, isto é, ordinariamente os mais violentos competidores e que menos sofrem de escrúpulos de consciência. Por outra parte este mesmo acumular de poder gera três espécies de luta pela dominação: primeiro luta-se por alcançar o predomínio econômico; depois combate-se implacavelmente por obter predomínio no governo da nação, a fim de poder abusar do seu nome, forças e autoridade nas lutas econômicas; enfim lutam os Estados entre si, empregando cada um deles a força e influência política para promover as vantagens econômicas dos seus cidadãos, ou

ao contrário empregando as forças e predomínio econômico para resolver as questões políticas, que surgem entre as nações (PIO XI, 1931, p. 24).

Não escapa ao papa Pio XI que esse despotismo econômico típico dos depositários e administradores de capitais alheios não só está na raiz da guerra entre os Estados como tem sua gênese na autonomia plena da livre concorrência. Daí a sugestiva indicação de um "imperialismo econômico", pelos Estados, e de um "imperialismo internacional bancário", pelos bancos (PIO XI, 1931, p. 25).

Por isso mesmo ele salienta que a atual economia alimentaria nas pessoas uma consciência particularmente terrível, em que se consideraria lícito alcançar por todo e qualquer meio apenas mais dinheiro:

> a facilidade dos lucros, que oferece a anarquia do mercado, leva muitos a darem-se ao comércio desejosos unicamente de enriquecer sem grande trabalho; os quais, com desenfreada especulação, levantam e diminuem os preços a capricho da própria cobiça (PIO XI, 1931, p. 30-31).

Assim, após 1929, não é de todo difícil para o papa salientar que

> a livre concorrência matou a si própria; à liberdade do mercado sucedeu a dominação econômica; à avidez do lucro seguiu-se a desenfreada ambição de dominação; toda a economia se tornou horrendamente dura, cruel, atroz (PIO XI, 1931, p. 25).

Tão duro diagnóstico não poderia deixar de sugerir que a saída para a então situação passava pela crítica do liberalismo e do socialismo, manifestando uma "terceira via" em que capital e trabalho fossem regulados "segundo as leis de uma rigorosa justiça comutativa, apoiada na caridade cristã" (PIO XI, 1931, p. 25). Naquela época, essa viva manifestação do terceiro incluído, enquanto crítica do dualismo, previa a articulação da (i) *cristianização da vida econômica* como remédio a esta "tão deplorável crise das almas" (PIO XI, 1931, p. 32) juntamente com a (ii) *lei da caridade* para difundir o espírito evangélico de moderação no mundo.

Com isso seria possível, quarenta anos após a *Rerum Novarum*, reordenar a sociedade pelo amálgama entre racionalidade econômica e religiosa. Se essa expectativa, de todo legítima no interior do *ethos* católico, não conseguiu se firmar na realidade social subsequente – pense-se na Segunda Guerra Mundial que estava prestes a arrastar toda a Europa –, é digno de nota que as críticas ao "despotismo econômico" ainda parecem desagradavelmente atuais, notadamente após a crise de 2008 do *subprime*, um tema que será profundamente analisado pelo atual líder mundial da Igreja católica, o papa Francisco.

O capitalismo financeirizado: do papa Bento XVI ao papa Francisco

As reflexões das páginas anteriores tiveram como objetivo apresentar, ainda que brevemente, o sentido geral da concepção católica da vida econômica. Trata-se de um estudo importante para compreender como esse corpo teórico articula questões sociais, políticas e econômicas. Mas não só, já que ele também fornece as bases que nos permitem compreender a materialização desse aparato conceitual no vértice de poder da Igreja católica.

Por isso mesmo, salientamos como as reflexões dos papas Leão XIII e Pio XI manifestam uma crítica profunda à exacerbação da "lei econômica" em detrimento dos valores religiosos, com especial atenção às consequências sociais do discurso da livre concorrência. É verdade que outros exemplos poderiam ser dados.[31] Pense-se, por exemplo, na encíclica *Populorum Progressio* [Sobre o desenvolvimento dos povos], de 1967, do papa Paulo VI (pontificado: 1963-1967), em que o "capitalismo liberal" é apresentado como um "liberalismo sem freio" que conduziu à "ditadura" de um

> sistema que considerava o lucro como motor essencial do progresso econômico, a concorrência como lei suprema da economia, a propriedade privada dos bens de produção como direito absoluto, sem limite nem obrigações sociais correspondentes (PAULO VI, 1967, p. 8).[32]

De todo modo, se o contexto subjacente à *Rerum Novarum* (final do século XIX, com o acirramento das disputas entre os Estados por novos territórios) e à comemoração de seus quarenta anos (dois anos após a crise de 1929) já aponta a íntima conexão existente entre as crises econômicas e a crítica do chamado "despotismo econômico", torna-se fundamental perceber como a crise do *subprime*, em 2008, atua como uma espécie de motor das reflexões do papa Bento XVI (pontificado: 2005-2013) e, principalmente, do papa Francisco.

O papa Bento XVI, cumpre destacar, não deixou de se manifestar sobre temas econômicos, mesmo os financeiros. Pense-se, por

---

31. Os limites deste livro nos impedem de fazer uma reconstrução detalhada do "conteúdo econômico" subjacente às encíclicas de todos os papas. Assim, partindo da gênese da Doutrina Social da Igreja – a *Rerum Novarum* –, decidimos estabelecer um recorte que privilegiou as duas "grandes crises" – a de 1929 e a de 2008 – e suas consequências para a reflexão papal.

32. Antecipando discussões sobre tecnologia, economia e ânsia por ganhos rápidos e cada vez maiores, um tema que caracterizará as reflexões do papa Francisco, o papa Paulo VI já ponderava: "A tecnocracia de amanhã pode gerar ainda piores males que o liberalismo de ontem. Economia e técnica não teem sentido, senão em função do homem, ao qual devem servir" (PAULO VI, 1967, p. 11).

exemplo, na encíclica *Caritas in Veritate* [Caridade em verdade], de 2009. Retomando os ensinamentos do papa Paulo VI, ele salienta:

> O desenvolvimento econômico desejado por Paulo VI devia ser capaz de produzir um crescimento real, extensivo a todos e concretamente sustentável. É verdade que o desenvolvimento foi e continua a ser um fator positivo, que tirou da miséria milhões de pessoas e, ultimamente, deu a muitos países a possibilidade de se tornarem atores eficazes da política internacional. Todavia, há que reconhecer que o próprio desenvolvimento econômico foi e continua a ser afetado por *anomalias e problemas dramáticos*, evidenciados ainda mais pela atual situação de crise. Esta coloca-nos improrrogavelmente diante de opções que dizem respeito sempre mais ao próprio destino do homem, o qual aliás não pode prescindir da sua natureza. As forças técnicas em campo, as inter-relações a nível mundial, os efeitos deletérios sobre a economia real de uma atividade financeira mal utilizada e majoritariamente especulativa, os imponentes fluxos migratórios, com frequência provocados e depois não geridos adequadamente, a exploração desregrada dos recursos da terra, induzem-nos hoje a refletir sobre as medidas necessárias para dar solução a problemas que são não apenas novos relativamente aos enfrentados pelo Papa Paulo VI, mas também e sobretudo com impacto decisivo no bem presente e futuro da humanidade (BENTO XVI, 2009, p. 12, grifo do autor).

Note-se uma vez mais a ideia de que a economia real sofre "efeitos deletérios", decorrentes "de uma atividade financeira mal utilizada e majoritariamente especulativa". Esta é a razão pela qual o papa Bento XVI não hesita em dizer que dois fatores impediriam a afirmação de um desenvolvimento econômico e social de longa duração, quais sejam, "a diminuição do nível de tutela dos direitos dos trabalhadores ou a renúncia a mecanismos de redistribuição do rendimento, para fazer o país ganhar mais competitividade internacional".

E por isso não só conclamava que "isto requer *uma nova e profunda reflexão sobre o sentido da economia e de seus fins*" (BENTO XVI, 2009, p. 20, grifo do autor), como, lembrando as discussões sobre a pretensa autonomia da economia criticada pelos papas Leão XIII e Pio XI, chamava a atenção para a relação desta com o pecado:

> No elenco dos campos onde se manifestam os efeitos perniciosos do pecado, há muito tempo que se acrescentou também o da economia. Temos uma prova evidente disto mesmo nos dias que correm. Primeiro, a convicção de ser autossuficiente e de conseguir eliminar o mal presente na história apenas com a própria ação induziu o homem a identificar a felicidade e a salvação com formas imanentes de bem-estar material e de ação social. Depois, a convicção da exigência de autonomia para a economia, que não deve aceitar "influências" de carácter moral, impeliu o homem a abusar dos instrumentos econômicos até mesmo de forma destrutiva (BENTO XVI, 2009, p. 22).

Aqui se manifestam os argumentos apresentados anteriormente, que procuravam destacar a compreensão de que as leis econômicas não só não são autônomas como estão inseridas no interior de algo maior, que deve qualificá-las e orientá-las. Daí a assertiva – tão presente na *Rerum Novarum* – de que o mercado, apesar de ser a instituição econômica responsável pelo fundamental encontro entre as pessoas, deve obedecer à justiça comutativa e distributiva, pois, "de fato, deixado unicamente ao princípio da equivalência de valor das mercadorias trocadas, o mercado não consegue gerar a coesão social de que necessita para bem funcionar" (BENTO XVI, 2009, p. 23).

Isso significa que "a atividade econômica não pode resolver todos os problemas sociais através da simples extensão da *lógica mercantil*", razão pela qual "esta há de ter como *finalidade a prossecução do bem comum*" (BENTO XVI, 2009, p. 23, grifos do autor). E é a partir dessa reflexão que o papa Bento XVI apontará para o distanciamento cada vez maior entre economia e ética. Assim:

> O grande desafio que temos diante de nós – resultante das problemáticas do desenvolvimento neste tempo de globalização, mas revestindo-se de maior exigência com a crise econômico--financeira – é mostrar, a nível tanto de pensamento como de comportamentos, que não só não podem ser transcurados ou atenuados os princípios tradicionais da ética social, como a transparência, a honestidade e a responsabilidade, mas também que, nas relações comerciais, o princípio de gratuidade e a lógica do dom como expressão da fraternidade podem e devem encontrar lugar dentro da atividade econômica normal. Isto é uma exigência do homem no tempo atual, mas também da própria razão econômica. Trata-se de uma exigência simultaneamente da caridade e da verdade (BENTO XVI, 2009, p. 24).

Como se vê, o que está em jogo é o tipo de relacionamento que deve existir entre a lógica do mercado, a lógica política e aquilo que Bento XVI chama de "lógica do dom sem contrapartida". Como ele mesmo salienta, trata-se de uma questão que já havia sido abordada pelo papa João Paulo II (pontificado: 1978-2005) na encíclica *Centesimus Annus* [*Centésimo ano*], em comemoração ao centenário da *Rerum Novarum*.

De fato, em sua defesa de uma "sociedade do trabalho livre, da empresa e da participação", o papa João Paulo II criticava tanto o capitalismo liberal, como o capitalismo de Estado representado pelos regimes socialistas, salientando que "a liberdade econômica é apenas um elemento da liberdade humana" (JOÃO PAULO II, 1991, p. 32). Nesse contexto, é significativa sua reflexão acerca da vitória do capitalismo no início da década de 1990. Ao refletir se o capitalismo deveria ser o modelo das economias e sociedades dos mais diversos países, incluindo aí o chamado Terceiro Mundo, ele ponderava:

> A resposta apresenta-se obviamente complexa. Se por "capitalismo" se indica um sistema econômico que reconhece o papel fundamental e positivo da empresa, do mercado, da propriedade privada e da consequente responsabilidade pelos meios de produção, da livre criatividade humana no setor da economia, a resposta é certamente positiva, embora talvez fosse mais apropriado falar de "economia de empresa", ou de "economia de mercado", ou simplesmente de "economia livre". Mas se por "capitalismo" se entende um sistema onde a liberdade no setor da economia não está enquadrada num sólido contexto jurídico que a coloque ao serviço da liberdade humana integral e a considere como uma particular dimensão desta liberdade, cujo centro seja ético e religioso, então a resposta é sem dúvida negativa (JOÃO PAULO II, 1991, p. 34).

Após a crise derivada da bolha da internet no final da década de 1990, cada vez mais a avaliação pendia para a segunda opção. Não por acaso, o próprio papa João Paulo II fez questão de destacar a "urgência de uma revisão da economia" no discurso "Paz na terra aos homens, que Deus ama!", pela ocasião do dia mundial da paz, em 2000. Assim, diante do "mal-estar crescente" quando se reflete sobre a função do mercado, a onipresente dimensão monetária e financeira, ele não hesita em dizer: "chegou talvez o momento de *uma nova e profunda reflexão sobre o sentido da economia e dos seus fins*" (JOÃO PAULO II, 2000, p. 7, grifo do autor).

Como era de se esperar, a já mencionada crise de 2008 certamente agravou ainda mais a situação. Daí a precisa consideração do papa Bento XVI ao salientar que o processo de globalização significou uma expansão da lógica contratual sobre todos os aspectos, fragilizando tanto a lógica política do bem comum como a lógica da gratuidade. Esta, em especial, seria a responsável por difundir "uma forma concreta e profunda de democracia econômica" (BENTO XVI, 2009, p. 25). E é exatamente nesse contexto em que se manifesta uma vez mais o componente ético que deve orientar a atividade econômica.

Veja-se que o papa Bento XVI não ignora a ampla difusão do termo "ética" no mundo dos negócios. Se ele não deixa de salientar que "a economia tem necessidade da ética para seu correto funcionamento", logo em seguida esclarece que essa ética deve ser "amiga da pessoa" (BENTO XVI, 2009, p. 31). Essa é uma delimitação necessária em virtude da explosão de termos como "negócio ético", "certificações éticas", "finanças éticas". Apesar de serem iniciativas interessantes, o líder máximo da Igreja católica já indicava a necessidade de se ter um rigoroso critério de discernimento,

> porque se nota um certo abuso do adjetivo "ético", o qual, se usado vagamente, presta-se a designar conteúdos muito diversos, chegando-se a fazer passar à sua sombra decisões e

opções contrárias à justiça e ao verdadeiro bem do homem (BENTO XVI, 2009, p. 31).

Consequentemente, o que estava em pauta era fazer com que as finanças "voltem a ser um instrumento que tenha em vista a melhor produção de riqueza e o desenvolvimento", notadamente em função "da sua má utilização que prejudicou a economia real" (BENTO XVI, 2009, p. 44). Daí o seguinte raciocínio:

> a doutrina social da Igreja tem um contributo próprio e específico para dar, que se funda na criação do homem "à imagem de Deus" (Gn 1, 27), um dado do qual deriva a dignidade inviolável da pessoa humana e também o valor transcendente das normas morais naturais. Uma ética econômica que prescinda destes dois pilares arrisca-se inevitavelmente a perder o seu cunho específico e a prestar-se a instrumentalizações; mais concretamente, arrisca-se a aparecer em função dos sistemas econômico-financeiros existentes, em vez de servir de correção às disfunções dos mesmos. Além do mais, acabaria até por justificar o financiamento de projetos que não são éticos (BENTO XVI, 2009, p. 32).

No que se refere especificamente a isso, o papa Bento XVI já havia destacado os riscos inerentes ao mercado internacional de capitais. Diante da extraordinária mobilidade deste, o empresário – hoje diríamos, o CEO (sigla de *chief executive officer*) – estaria particularmente suscetível a priorizar o benefício dos acionistas em detrimento dos trabalhadores, fornecedores e consumidores (BENTO XVI, 2009, p. 26). Aqui se manifesta uma linha de pensamento que tem suas origens no papa Paulo VI. Se este já avaliava seriamente o dano que a transferência de capitais para o exterior, com exclusivas vantagens pessoais, poderia causar à nação, e se o papa João Paulo II defendia que investir sempre possui um significado moral, para além do significado econômico, então se compreende a seguinte avaliação do papa Bento XVI:

> Tudo isto – há que reafirmá-lo – é válido também hoje, não obstante o mercado dos capitais tenha sido muito liberalizado e as mentalidades tecnológicas modernas possam induzir a pensar que investir seja apenas um fato técnico, e não humano e ético. [...] É preciso evitar que o motivo para o emprego dos recursos financeiros seja especulativo, cedendo à tentação de procurar apenas o lucro a breve prazo sem cuidar igualmente da sustentabilidade da empresa a longo prazo, do seu serviço concreto à economia real e duma adequada e oportuna promoção de iniciativas econômicas também nos países necessitados de desenvolvimento (BENTO XVI, 2009, p. 27).

Uma vez mais: isso não constitui uma crítica às finanças em si, mas (i) ao *uso* que se faz delas, no preciso sentido de que "o sistema financeiro deve ser orientado para dar apoio a um verdadeiro desenvolvimento" (BENTO XVI, 2009, p. 44);[33] e (ii) às *pessoas* que se valem da instrumentalização das finanças para fins de enriquecimento espetacular tão somente individual, algo que o papa Bento XVI captou, com certa ironia: "o progresso econômico revela-se fictício e danoso quando se abandona aos 'prodígios' das finanças para apoiar incrementos artificiais e consumistas" (BENTO XVI, 2009, p. 47). De todo modo, um ano após a crise do *subprime*, estes foram os elementos que fizeram com que o papa

---

[33]. Note-se que a impossibilidade de vincular liberalismo a desenvolvimento sustentável já era criticada pelo papa Paulo VI, em 1967. Na já referida encíclica *Populorum Progressio*, ele já sustentava que "a regra da livre troca já não pode, por si mesma, reger as relações internacionais", razão pela qual "devemos reconhecer que está em causa o princípio fundamental do liberalismo" (PAULO VI, 1967, p. 18).

recuperasse o argumento apresentado pelo papa João Paulo II: a urgente necessidade de reformar a "arquitetura econômica e financeira internacional" (BENTO XVI, 2009, p. 46).[34]

Como se vê, as consequências da chamada "financeirização da economia" já eram analisadas criticamente antes do pontificado do papa Francisco, famoso por suas críticas ao mercado de derivativos. De certo modo, trata-se de uma reflexão que remete, pelo menos, às colocações do papa Leão XIII na encíclica *Rerum Novarum*, isto é, a já referida Doutrina Social da Igreja. Ainda assim, é notável como o papa argentino aprofundou a crítica à economia e suas consequências sociais, fazendo dela algo muito além de um tema colateral. Por isso mesmo, é significativo que a encíclica *Evangelii Gaudium* (2013) aponte logo no início "alguns desafios do mundo atual", tendo como primeiro item um sonoro "não a uma economia da exclusão". O que significaria isso?

O papa destaca logo no início a analogia que o guia. Assim como o mandamento "não matar" impõe limites às nossas ações, "também hoje devemos dizer 'não a uma economia da exclusão e da desigualdade social'" (FRANCISCO, 2013, p. 45). Trata-se de um raciocínio que desde o início já apresenta algumas consequências:

> Esta economia mata. Não é possível que a morte por congelamento dum idoso sem abrigo não seja notícia, enquanto o é a descida de dois pontos na Bolsa. Isto é exclusão. [...] Já não se trata simplesmente do fenômeno de exploração e opressão, mas duma realidade nova: com a exclusão, fere-se, na própria raiz, a pertença à sociedade onde se vive, pois quem vive nas

---

34. A partir dessas bases, o cardeal Peter Turkson apresentará, em 2011, o documento "Por uma reforma do sistema financeiro e monetário internacional na perspectiva de uma autoridade pública com competência universal", fazendo críticas profundas à vertente liberalista de defesa absoluta do livre mercado (TURKSON, 2011).

favelas, na periferia ou sem poder já não está nela, mas fora. Os excluídos não são "explorados", mas resíduos, "sobras" (FRANCISCO, 2013, p. 45-46).

Se "esta economia mata", então é necessário identificar as razões pelas quais isso acontece. Nesse sentido, o papa Francisco segue a crítica de seus antecessores acerca do caráter fictício da alegada autonomia e autorregulação dos mercados. Mas ele também acrescenta a necessidade de se criticar aquelas teorias que defendem a possibilidade do mercado por si só produzir maior equidade e inclusão social no mundo: "esta opinião, que nunca foi confirmada pelos fatos, exprime uma confiança vaga e ingênua na bondade daqueles que detêm o poder econômico e nos mecanismos sacralizados do sistema econômico reinante" (FRANCISCO, 2013, p. 46).

Mais importante ainda, é a partir desta reflexão que *Evangelii Gaudium* aponta para um amálgama particularmente ardiloso entre economia e cultura. Ora, o que permitiria a continuidade desse tipo de economia? Se a desigualdade social e a concentração de renda e capitais se intensificam cada vez mais, e se isso ocorre paralelamente à ampliação e ao aprofundamento dos processos de financeirização, não só da economia, mas da sociedade como um todo, o que dá sustentação a isso?

Aqui entra em cena o "estilo de vida" dominante, que tem como pressuposto não apenas um aprofundamento do ideal egoísta. Tal como destacado pelo papa Francisco, esse ideal não poderia perdurar no tempo se não fosse acompanhado de uma "globalização da indiferença" (FRANCISCO, 2013, p. 46). Embebecidos pelos discursos de que a responsabilidade social é sempre individual,

> a cultura do bem-estar anestesia-nos, a ponto de perdermos a serenidade se o mercado oferece algo que ainda não com-

pramos, enquanto todas essas vidas ceifadas por falta de possibilidades nos parecem um mero espetáculo que não nos incomoda de forma alguma (FRANCISCO, 2013, p. 46-47).

Mas se a "economia que mata" está relacionada tanto às teorias que a sustentam, como à indiferença para com o outro, há aqui um elemento comum que garante unidade ao processo. Trata-se da "nova idolatria do dinheiro", retratada pelo papa Francisco nos seguintes termos:

> Uma das causas desta situação está na relação estabelecida com o dinheiro, porque aceitamos pacificamente o seu domínio sobre nós e as nossas sociedades. A crise financeira que atravessamos faz-nos esquecer que, na sua origem, há uma crise antropológica profunda: a negação da primazia do ser humano. Criamos novos ídolos. A adoração do antigo bezerro de ouro (cf. Ex 32, 1-35) encontrou uma nova e cruel versão no fetichismo do dinheiro e na ditadura de uma economia sem rosto e sem um objetivo verdadeiramente humano. A crise mundial, que investe as finanças e a economia, põe a descoberto os seus próprios desequilíbrios e sobretudo a grave carência duma orientação antropológica que reduz o ser humano apenas a uma das suas necessidades: o consumo (FRANCISCO, 2013, p. 47).

Veja-se: não se trata apenas de uma crise financeira, mas de uma "crise antropológica", em que a primazia do homem foi substituída pela primazia do dinheiro. Daí a utilização de termos como "fetichismo do dinheiro" e "ditadura de uma economia sem rosto e sem um objetivo verdadeiramente humano". Essas caracterizações procuram colocar em destaque a causalidade subjacente à desigualdade social. Daí o argumento de que a distância cada vez maior entre aqueles poucos que veem seus lucros crescerem exponencialmente, num extremo, e aqueles que sequer conseguem o necessário à sobrevivência, no outro, está relacionada às "ideologias que defendem a autonomia absoluta dos mercados e a especulação financeira" (FRANCISCO, 2013, p. 47).

Note-se, no entanto, que aqui também atuam aqueles discursos que procuram impedir qualquer atuação do Estado. Se no plano simbólico isso teria relação com a defesa de um ideal de pureza das trocas, na prática o que se tem é "uma nova tirania invisível, às vezes virtual, que impõe, de forma unilateral e implacável, as suas leis e as suas regras". Mas não só, já que "neste sistema que tende a fagocitar tudo para aumentar os benefícios, qualquer realidade que seja frágil, como o meio ambiente, fica indefesa face aos interesses do mercado divinizado, transformados em regra absoluta" (FRANCISCO, 2013, p. 48).

E é exatamente essa linha de raciocínio que permite ao papa Francisco salientar que as atitudes que levaram a essa situação manifestam "uma recusa de Deus" (FRANCISCO, 2013, p. 48), um verdadeiro anticristo, razão pela qual tornar-se-ia necessária – e aqui há uma clara continuidade das reflexões já apresentadas pelos papas Paulo II e Bento XVI – uma profunda reforma financeira. Assim, "o dinheiro deve servir, não governar! [...] Exorto-vos a uma solidariedade desinteressada e a um regresso da economia e das finanças a uma ética propícia ao ser humano" (FRANCISCO, 2013, p. 49).

Ora, este chamamento à ética, já enfatizado pelo papa Bento XVI, como destacado, está intimamente relacionado à chamada "dimensão social da evangelização", momento em que o papa Francisco volta a discutir a questão da desigualdade social. Diante do argumento de que "a necessidade de resolver as causas estruturais da pobreza não pode esperar", a encíclica *Evangelii Gaudium* não hesita em apontar que a solução desse problema passa pela renúncia "à autonomia absoluta dos mercados e da especulação financeira" (FRANCISCO, 2013, p. 160). Assim:

> Não podemos mais confiar nas forças cegas e na mão invisível do mercado. O crescimento equitativo exige algo mais do que o crescimento econômico, embora o pressuponha; requer decisões, programas, mecanismos e processos especificamente orientados para uma melhor distribuição das riquezas, para a criação de oportunidades de trabalho, para uma promoção integral dos pobres que supere o mero assistencialismo. Longe de mim propor um populismo irresponsável, mas a economia não pode mais recorrer a remédios que são um novo veneno, como quando se pretende aumentar a rentabilidade reduzindo o mercado de trabalho e criando assim novos excluídos (FRANCISCO, 2013, p. 161-162).

Cumpre destacar uma vez mais: aqui se manifesta não a crítica *da* economia, mas de uma economia específica, historicamente determinada. Daí o argumento de que "a economia – como indica o próprio termo – deveria ser a arte de alcançar uma adequada administração da casa comum, que é o mundo inteiro" (FRANCISCO, 2013, p. 163). Não por outro motivo, o papa argentino encaminha suas reflexões finais com um apelo:

> se realmente queremos alcançar uma economia global saudável, precisamos, neste momento da história, de um modo mais eficiente de interação que, sem prejuízo da soberania das nações, assegure o bem-estar econômico a todos os países e não apenas a alguns (FRANCISCO, 2013, p. 163).

Dois anos após a publicação dessas palavras, aqui brevemente retratadas, a encíclica *Laudato Si* (2015) pode ser vista como uma espécie de continuidade dessas reflexões. Trata-se então de "considerar o que está a acontecer à nossa casa comum", fazendo uma "resenha, certamente incompleta, das questões que hoje nos causam inquietação e já não se podem esconder debaixo do tapete" (FRANCISCO, 2015, p. 17-18). Para os propósitos do presente livro, interessa-nos sobretudo verificar como a economia – e as finanças, em particular – são compreendidas, algo que não demora a aparecer.

Referindo-se à contínua desconsideração da dignidade humana e do meio ambiente, o líder máximo da Igreja católica salienta que essa situação está intimamente relacionada com os "poderes econômicos que continuam a justificar o sistema mundial atual", notadamente a especulação e a busca de receitas financeiras a curto prazo (FRANCISCO, 2015, p. 45). Assim, ao discutir os desafios decorrentes do chamado "paradigma tecnocrático", o papa Francisco salienta que este também exerce um domínio sobre a economia.

> A economia assume todo o desenvolvimento tecnológico em função do lucro, sem prestar atenção a eventuais consequências negativas para o ser humano. A finança sufoca a economia real. Não se aprendeu a lição da crise financeira mundial e, muito lentamente, se aprende a lição do deterioramento ambiental (FRANCISCO, 2015, p. 85).

Retomando as reflexões do papa Bento XVI, ele volta a criticar o discurso que concebe a maximização dos lucros como atividade suficiente para resolver todos os problemas sociais, vendo nisso "a simples proclamação da liberdade econômica, enquanto as condições *reais* impedem que muitos possam efetivamente ter acesso a elas" (FRANCISCO, 2015, p. 101, grifo do autor). Pior ainda, o aprisionamento pelos discursos de autonomia do mercado faria com que o próprio Estado passasse a ser visto como o lugar do excesso, da interferência, corroendo a própria dimensão política do ser humano. Por isso mesmo, o papa Francisco destaca a necessidade de um diálogo entre a política e a economia para a plenitude humana. Assim, se ambas precisam se colocar "decididamente ao serviço da vida", isso também significa que:

> A salvação dos bancos a todo o custo, fazendo pagar o preço à população, sem a firme decisão de rever e reformar o sistema inteiro, reafirma um domínio absoluto da finança que não tem futuro e só poderá gerar novas crises depois duma longa, custosa e aparente cura (FRANCISCO, 2015, p. 144).

Ora, esta é a razão pela qual a crise de 2008 é vista como uma oportunidade perdida para pensar e propor uma "nova economia mais atenta aos princípios éticos e para uma nova regulamentação da atividade financeira especulativa e da riqueza virtual" (FRANCISCO, 2015, p. 144). Assim, após destacar que "habitualmente, a bolha financeira é também uma bolha produtiva", o papa Francisco chama novamente a atenção para o problema de não se levar suficientemente em consideração o que ocorre na economia real, e reafirma: "mais uma vez repito que convém evitar uma concepção mágica do mercado, que tende a pensar que os problemas se resolvem apenas com o crescimento dos lucros das empresas ou dos indivíduos" (FRANCISCO, 2015, p. 145).

Apesar da profundidade das questões levantadas nessas duas encíclicas, que geraram perplexidade e críticas em diversos setores, pode-se dizer que a temática econômica terá seu principal aprofundamento em um artigo posterior, significativamente intitulado "Considerações para um discernimento ético sobre alguns aspectos do atual sistema econômico-financeiro", de 2018. De certo modo, aqui se manifesta uma densidade argumentativa ainda maior, fazendo com que o papa Francisco apresente considerações a respeito do mercado de derivativos, da prática da "finança criativa" e das finanças *offshore*. Mais importante ainda, nesse artigo pode-se verificar claramente o desaguar das preocupações éticas que já caracterizavam sua reflexão anterior.

Esse é o motivo pelo qual é destacada, logo no primeiro parágrafo, a necessidade de uma "clara fundamentação ética, que assegure ao bem-estar conseguido uma qualidade humana das relações que os mecanismos econômicos, sozinhos, não podem produzir" (FRANCISCO, 2018, p. 1). De modo geral, aqui se manifesta a já conhecida concepção de que nenhuma esfera do agir humano pode ser estranha ou impermeável à "ética fundada na liberdade, na verdade, na justiça e na solidariedade" (FRANCISCO, 2018, p. 2).

E esta é uma premissa particularmente importante para encaminhar uma resposta ao problema que caracteriza o século XXI, qual seja, a simultânea acumulação de riquezas nas mãos de poucos, de um lado, e a crescente desigualdade social, do outro.[35] Daí a recorrência do argumento que aponta para o distanciamento entre economia financeira especulativa e economia real:

---

35. O relatório publicado pela Oxfam em janeiro de 2020 destaca, logo no início, que "em 2019, os bilionários do mundo, que somam apenas 2.153 indivíduos, detinham mais riqueza do que 4.6 bilhões de pessoas". Nesse contexto, algumas comparações demonstram essa insustentável situação: (i) "os 22 homens mais ricos do mundo detêm mais riqueza do que todas as mulheres que vivem na África"; (ii) "uma pessoa que tivesse poupado U$ 10.000 por dia desde que as pirâmides começaram a ser construídas no Egito teria atualmente um quinto da fortuna média dos cinco bilionários mais ricos do mundo"; (iii) "se todos se sentassem sobre suas riquezas empilhadas em notas de 100 dólares, a maior parte da humanidade ficaria sentada no nível do chão. Uma pessoa de classe média em um país rico ficaria sentada na altura de uma cadeira. Os homens mais ricos do mundo ficariam sentados no nível do espaço sideral" (OXFAM, 2020, p. 6).

A recente crise financeira poderia ter sido uma ocasião para desenvolver uma nova economia mais atenta aos princípios éticos e para uma nova regulamentação da atividade financeira, neutralizando os aspectos predatórios e especulativos, e valorizando o serviço à economia real (FRANCISCO, 2018, p. 2).

Veja-se: desde a manifestação do papa João Paulo II, nos anos 2000, passando pelas reflexões do papa Bento XVI, em 2009, mesmo em 2018 o tema da *efetiva* reforma financeira simplesmente não tinha avançado. Assim, não é mera casualidade que o papa Francisco chegue a dizer que "parece às vezes retornar ao auge um egoísmo míope e limitado a curto prazo" (FRANCISCO, 2018, p. 2). De todo modo, em "Considerações para um discernimento ético sobre alguns aspectos do atual sistema econômico-financeiro", o papa argentino procurará esmiuçar o argumento de que a intermediação financeira, quando excluída de toda e qualquer fundamentação ética, isto é, quando desvinculada dos fundamentos antropológicos e morais, não só produz "abusos" e "injustiças", como "crises sistêmicas e de alcance mundial" (FRANCISCO, 2018, p. 3).

Daí a importância da compreensão *relacional* do ser humano. Durante a reprodução deste, são inúmeras as relações estabelecidas com outras pessoas e instituições. Consequentemente, também são múltiplas as *racionalidades* que atravessam a existência social de cada um de nós, um aspecto que revela "as limitações de uma visão individualista do homem, entendido prevalentemente como consumidor, cuja vantagem consistiria antes de tudo numa otimização dos seus ganhos pecuniários" (FRANCISCO, 2018, p. 3).

A principal consequência dessa formulação está na assertiva de que a economia deve favorecer a qualidade global de vida, de modo que "nenhum ganho é realmente legítimo quando diminui o horizonte da promoção integral da pessoa humana, da destinação universal dos bens e da opção preferencial pelos pobres" (FRANCISCO, 2018, p. 4). Ora, aqui se manifesta um raciocínio que atinge nuclearmente a concepção meramente técnica do crescimento econômico. Para esta, a legitimidade do sistema econômico seria derivada do aumento quantitativo das trocas econômicas.

No entanto, esse reducionismo economicista acaba por ignorar toda a complexidade das relações sociais, bloqueando a compreensão de que a economia deve ser avaliada pela sua "capacidade de produzir desenvolvimento para todo o homem e para cada homem" (FRANCISCO, 2018, p. 4). Em suma:

> O bem-estar deve ser, portanto, avaliado com critérios bem mais amplos que o produto interno bruto de um País (PIB), levando em consideração também outros parâmetros, como por exemplo a segurança, a saúde, o crescimento do "capital humano", a qualidade da vida social e do trabalho. E o ganho pode ser sempre buscado, mas não "a qualquer custo", nem como referência totalizante da ação econômica (FRANCISCO, 2018, p. 4).

É nesse contexto em que o papa Francisco volta a se manifestar sobre a relação entre economia e política. Ainda que recheada de problemas – como a falta de eficácia, a corrupção etc. –, a política é fundamental à humanidade, uma vez que o ser humano é, essencialmente, um *homo politicus*. No entanto, diante do "crescente e perverso poder de importantes agentes e grandes redes econômicas-financeiras", aqueles que exercem o poder político restam "desorientados e impotentes pela supranacionalidade daqueles agentes e pela volatilidade dos capitais por eles gerenciados" (FRANCISCO, 2018, p. 5).

Uma vez mais: não se trata de simplesmente *condenar* os mercados, como já destacado, mas de uma *específica* e, nesse sentido, histórica determinação da economia como um todo. Por isso mesmo, os mercados não deixam de ser retratados como um "potente impulsionador". No entanto, torna-se indispensável compreender o preciso sentido da crítica de que eles não são capazes de se autorregularem:

> De fato, estes não sabem nem produzir aqueles pressupostos que consentem seu desenvolvimento regular (coesão social, honestidade, confiança, segurança, leis...), nem corrigir aqueles efeitos e aquelas externalidades que resultam prejudiciais à sociedade humana (desigualdade, assimetrias, degradação ambiental, insegurança social, fraudes...). Além do mais, para além do fato que muitos de seus operadores sejam individualmente animados por boas e retas intenções, não é possível ignorar que hoje a indústria financeira, por causa da sua difusão e da sua inevitável capacidade de condicionar e, em certo sentido, de dominar a economia real, é um lugar onde os egoísmos e as imposições violentas têm um potencial excepcional de causar danos à coletividade (FRANCISCO, 2018, p. 5).

Como se vê, aqui entra em cena um argumento fundamental para toda a tradição da Doutrina Social da Igreja, qual seja, a incapacidade de os mercados criarem seus pressupostos e corrigirem seus efeitos. Ou seja, nem as *condições* nem os *resultados* podem ser vinculados à ação econômica em si. Nesse contexto, a proliferação cada vez maior de produtos financeiros tóxicos tornaria necessário até mesmo superar o princípio *caveat emptor*.[36]

---

[36] Literalmente, "cuidado, comprador", no sentido de que o risco pela aquisição de uma determinada mercadoria é do comprador, e não do vendedor.

Tais críticas, sem dúvida alguma contundentes, buscam enfatizar a inversão característica dos dias de hoje, expressas pelo próprio papa Francisco na referida "crise antropológica" decorrente do "novo ídolo dos homens": o dinheiro. Por isso ele retoma esses argumentos para sentenciar:

> Isto que por mais de um século foi tristemente previsto, tornou-se realidade hoje: o lucro do capital coloca fortemente em risco, e corre o risco de suplantar, a renda do trabalho, comumente confinada às margens dos principais interesses do sistema econômico. Isto proporciona o fato que o trabalho, com a sua dignidade, não somente se torne uma realidade sempre mais em risco, mas perca também a sua qualidade de "bem" para o homem, transformando-se em um mero meio de troca ao interno de relações sociais tornadas assimétricas (FRANCISCO, 2018, p. 6).

A referida previsão está intimamente relacionada ao fio condutor apresentado nas páginas anteriores, que procuraram destacar, após a vinculação weberiana entre tradicionalismo e espírito do capitalismo, os principais pontos de contato entre o catolicismo e a crítica desse modo de produção. Como destacado, é o elemento ético que surge como eixo a partir do qual são movimentadas as críticas, numa espécie de aprimoramento do argumento apresentado pelo papa Leão XIII e pelo papa Pio XI acerca da "subordinação" da lei econômica à "lei religiosa".

Por isso mesmo, o papa Francisco insiste em dizer que "o dinheiro é por si mesmo um instrumento bom", assim como o crédito se apresenta nos termos de uma "insubstituível função social". Isso significa, cumpre uma vez mais destacar, que o ponto-chave é orientar esses mecanismos para um fim superior, de modo que a atividade financeira revele "a sua vocação primária de serviço à economia real" (FRANCISCO, 2018, p. 6).

Mais importante ainda, toda e qualquer atividade econômica deve *fomentar* aqueles pressupostos sem os quais ela simplesmente não pode existir. Essa é a razão pela qual o papa argentino enfatiza uma vez mais as funestas consequências da "intenção especulativa", que "arrisca hoje suplantar todas as outras intenções importantes que integram a substância da liberdade humana" (FRANCISCO, 2018, p. 7).

Nesse contexto, a especulação atua como uma espécie de mecanismo de desarticulação da sociedade civil:

> palavras como "eficiência", "competição", "liderança", "mérito" tendem a ocupar todo o espaço da nossa cultura civil, assumindo um significado que termina por empobrecer a qualidade das trocas, reduzida a meros coeficientes numéricos (FRANCISCO, 2018, p. 7).

E são essas considerações que permitem ao papa Francisco efetuar uma analogia particularmente interessante:

> O mercado, graças aos progressos da globalização e da digitalização, pode ser comparado a um grande organismo, em cujas veias correm, como linfa vital, grandíssima quantidade de capitais. Levando em consideração esta analogia, podemos então falar de uma "saúde" de tal organismo, quando os seus meios e instrumentos realizam uma boa funcionalidade do sistema, cujo crescimento e difusão da riqueza caminham harmonicamente. Uma saúde do sistema que depende de saudáveis ações singulares que são realizadas. Na presença de uma semelhante saúde do sistema-mercado é mais fácil

que sejam respeitados e promovidos também a dignidade dos homens e o bem comum (FRANCISCO, 2018, p. 7).

Ora, é exatamente a difusão de instrumentos financeiros não confiáveis – o pano de fundo, como se sabe, remete ao amálgama entre hipotecas e mercado de derivativos – que leva à "intoxicação" do referido organismo (FRANCISCO, 2018, p. 8). Consequentemente, sua "saúde" passa necessariamente pela garantia da multiplicidade e diversidade de recursos que constituem sua "biosfera".

Isso significa que os mercados financeiros devem contribuir para a produção saudável dos bens: "favorecer a saúde e evitar a contaminação, também do ponto de vista econômico, é um imperativo moral iniludível para todos os atores empenhados nos mercados" (FRANCISCO, 2018, p. 8). Daí o argumento a favor de uma regulação que também atue nesse sentido, delineando, por exemplo, "uma clara definição e separação, para os intermediadores bancários de crédito, do âmbito da atividade de gestão de crédito ordinário e dos recursos destinados ao investimento e aos negócios" (FRANCISCO, 2018, p. 9).

Note-se, também, que o papa Francisco está particularmente consciente das dificuldades que esse tipo de iniciativa tem que enfrentar, notadamente no âmbito da formação profissional das pessoas. Para que a metáfora do organismo possa sobreviver, é indispensável que mesmo as "prestigiosas escolas de negócios" revejam o ensinamento que posiciona o "mero ganho" no vértice da cultura da empresa financeira.

Esse tipo de abordagem favorece a percepção de que a dimensão ética seria *externa* à atividade econômica. Se isso sem dúvidas tem relação com o discurso que defende a suposta autonomia e indiferença da lei econômica frente às considerações morais, é igualmente importante atentar para os efeitos dessa representação na ação dos indivíduos, notadamente aqueles responsáveis por movimentar somas gigantescas de capitais.

Como o próprio papa destaca,

> nestes casos, o objetivo do mero lucro cria facilmente uma lógica perversa e seletiva que comumente favorece o avanço aos vértices empresariais de sujeitos capazes, mas ávidos e livres de prejuízos, cuja ação social é impulsionada prevalentemente por uma egoística vantagem pessoal (FRANCISCO, 2018, p. 9),

uma reflexão intimamente relacionada com a crítica do papel e da atuação dos CEOs:

> tais lógicas têm comumente impulsionado os administradores a realizar políticas econômicas voltadas não a incrementar a saúde econômica das empresas que serviam, mas as meras vantagens dos acionistas (*shareholders*), prejudicando assim aos legítimos interesses dos quais são portadores todos aqueles que com o trabalho e os serviços operam em vantagem da empresa mesma, e também os consumidores e as várias comunidades locais (*stakeholders*). Esses administradores têm sido comumente incentivados por relevantes remunerações proporcionadas aos resultados imediatos da gestão, em geral não contrabalanceadas por equivalentes penalizações em caso de falência dos objetivos. Assim, mesmo que, se num breve período, asseguram grandes ganhos aos administradores e acionistas, termina-se por promover a assunção de riscos excessivos e por deixar as empresas debilitadas e empobrecidas daquela energia econômica que lhes teria assegurado perspectivas adequadas para o futuro. Tudo isto facilmente

> cria e difunde uma cultura profundamente amoral – na qual comumente não se hesita a cometer um crime quando os benefícios previstos excedem as penalidades esperadas – e corrompem gravemente a saúde de todos os sistemas econômico-sociais, colocando em risco a funcionalidade dos mesmos e prejudicando gravemente a eficaz realização daquele bem comum, sobre o qual se funda necessariamente cada forma de sociabilidade (FRANCISCO, 2018, p. 10).

Como se vê, trata-se de defender "uma cultura empresarial e financeira que leve em consideração todos aqueles fatores que constituem o bem comum", fazendo com que a "natural circularidade" entre ganho e responsabilidade social possa criar um ambiente favorável ao desenvolvimento daqueles pressupostos antropológicos e éticos, sem os quais os mercados não podem atuar (FRANCISCO, 2018, p. 10).

De certo modo, são esses argumentos que fazem com que o papa Francisco seja especialmente crítico em relação às políticas de crédito por bancos e instituições financeiras. Daí a ideia da criação de "Comissões éticas" dentro dos bancos, com o específico intuito de trabalharem junto aos "Conselhos administrativos". Seu foco seria combater "a criação de títulos de alto risco", isto é, aqueles ativos que "operam uma espécie de criação fictícia de valor". Se estes sem dúvida enriquecem os intermediadores financeiros, a securitização desses empréstimos – como no caso do *subprime* – cria aquele ambiente propício à intoxicação do mercado enquanto organismo apto à busca pelo bem comum. E esta é a base a partir da qual o papa Francisco critica o mercado de derivativos:

> Alguns produtos financeiros, como aqueles chamados "derivativos", foram criados com o objetivo de garantir uma as-

seguração em relação aos riscos inerentes a determinadas operações, frequentemente incluindo também uma aposta efetuada sob a base de um valor presumido atribuído a tais riscos. Na base destes instrumentos financeiros estão contratos nos quais as partes ainda estão em condição de avaliar racionalmente o risco fundamental dos quais deve-se assegurar. Todavia, para alguns tipos de derivativos (particularmente as chamadas securitizações ou *securitizations*), assistiu-se ao fato de que a partir das estruturas originárias e ligadas a investimentos financeiros individuáveis, foram construídas estruturas sempre mais complexas (securitizações de securitizações), nas quais é sempre mais difícil – quase impossível depois de várias destas transações – estabelecer em modo racional e équo o valor fundamental delas. Isto significa que cada passo na compra e venda destes títulos, para além da vontade das partes, opera de fato uma distorção do valor efetivo daquele risco que, ao contrário, o instrumento deveria tutelar. Tudo isto tem favorecido o surgimento de bolhas especulativas, que foram importantes concausas da recente crise financeira (FRANCISCO, 2018, p. 11-12).

Assim, não é mera casualidade que o líder máximo da Igreja católica chegue a caracterizar a expansão dos derivativos como uma "bomba-relógio" (FRANCISCO, 2018, p. 12). Se isso por si só já demonstra uma "carência ética", a situação torna-se ainda pior quando se atenta para a utilização de CDS (*credit default swap*). Ao permitir *apostar* no risco de falência de uma parte, esse tipo de contrato "favoreceu o crescimento de uma finança do azar e das apostas no insucesso de outros" (FRANCISCO, 2018, p. 12). Se isso evidencia as constantes práticas de "canibalismo econômico", aqui também se compreende como a própria confiança – tão fundamental para a economia – é nuclearmente minada por esses produtos financeiros.

Mas as críticas do papa Francisco não param por aqui, razão pela qual ele também faz questão de destacar a existência de "sistemas bancários paralelos", ou "sombras" – o *shadow banking system* –, que favorecem o uso da "finança criativa", "cujo motivo principal de investimento dos recursos financeiros é sobretudo de caráter especulativo, se não predatório, e não constitui um serviço à economia real" (FRANCISCO, 2018, p. 13). Do mesmo modo, esse "espírito especulativo" também está na raiz do mundo das finanças *offshore*, cuja ação

> mediante muitos e difusos canais de elusão fiscal, quando não de evasão e de lavagem de dinheiro fruto de crime, constitui um ulterior empobrecimento do normal sistema de produção e distribuição de bens e serviços (FRANCISCO, 2018, p. 13).

Consequentemente,

> Hoje mais da metade do comércio mundial é efetuado por grandes sujeitos que reduzem a carga tributária transferindo os lucros de uma sede para outra, segundo as suas conveniências, transferindo os ganhos para os paraísos fiscais e os custos para os países de elevada imposição tributária. Parece claro que tudo isto subtraiu recursos decisivos para a economia real e contribuiu a gerar sistemas econômicos fundados na desigualdade. Além do mais, não é possível calar que aquelas sedes *offshore*, em muitas ocasiões tornaram-se lugares habituais para a lavagem de dinheiro, isto é, dos resultados de

receitas ilícitas (furtos, fraudes, corrupção, associações para delinquir, máfia, saque de guerra...) (FRANCISCO, 2018, p. 14).

Todos esses argumentos procuram embasar a tese – já apresentada pelos papas anteriores, como destacamos – de que a ausência de qualquer componente ético exacerba as imperfeições dos mecanismos de mercado, fazendo com que suas concepções liberalistas constituam uma "evidente forma de hipocrisia" (FRANCISCO, 2018, p. 14). Mas não só, já que isso traz consequências concretas para a humanidade. Daí a assertiva de que "a manipulação fiscal dos principais atores do mercado, em especial dos grandes intermediários financeiros, representa uma injusta subtração de recursos da economia real, é um dano para toda a sociedade civil" (FRANCISCO, 2018, p. 14).

É verdade que diversos Estados tomaram iniciativas para tentar regular essa situação, especialmente no que se refere às empresas *offshore*. No entanto, o papa Francisco não deixa de destacar que os esquemas normativos propostos "foram frequentemente inaplicáveis ou tornados ineficazes". E por qual motivo? Devido às "notáveis influências que aquelas sedes financeiras conseguem exercitar, considerando o grande capital que dispõem, em relação a tantos poderes políticos" (FRANCISCO, 2018, p. 15). Por isso mesmo, não chega a ser surpreendente que essa "estrutura financeira" seja caracterizada como algo "de tudo inaceitável do ponto de vista ético" (FRANCISCO, 2018, p. 15).

Em suma, são esses argumentos que tornam necessária uma exigência de transparência financeira por meio da prestação de contas pública, por exemplo, além de um exercício crítico e responsável do consumo, com especial atenção aos bens cuja produção remete a uma série de violações de direitos humanos ou a empresas que não conhecem outros interesses senão aqueles de seus acionistas.

Trata-se, assim, de criar uma consciência coletiva que opte por bens "que trazem em si um percurso digno do ponto de vista ético" (FRANCISCO, 2018, p. 16), uma tarefa que tem na sociedade civil um de seus principais responsáveis:

> Diante da imponência e difusão dos contemporâneos sistemas econômico-financeiros, poderemos ser tentados a cedermos ao cinismo e a pensar que com as nossas pobres forças podemos fazer bem pouco. Na realidade, cada um de nós pode fazer muito, especialmente se não permanece só. Numerosas associações provenientes da sociedade civil representam neste sentido uma reserva de consciência e de responsabilidade social das quais não podemos prescindir. Hoje, mais do que nunca, somos todos chamados a vigiar como sentinelas por uma vida de qualidade e a tornar-nos intérpretes de um novo protagonismo social, orientando a nossa ação na busca do bem comum e fundando-a sobre os sólidos princípios da solidariedade e da subsidiariedade (FRANCISCO, 2018, p. 16).

Como se vê, a crítica do papa Francisco pode parecer, à primeira vista, inédita. E ela é de fato inovadora, notadamente no que se refere à incorporação da crítica financeira como *eixo*[37] a partir do qual são movimentadas suas considerações. Ainda assim, a análise histórica dos discursos de outros papas evidenciou que há aqui um fio condutor, uma linha de continuidade que vê no desenvolvimento do capitalismo um obstáculo ao *ethos* católico.

---

[37]. Na verdade, a temática *ecológica* também constitui uma verdadeira força motriz das análises do papa Francisco, uma temática que escapa dos propósitos e limites da nossa discussão neste livro.

Por isso procuramos destacar como a temática do tradicionalismo apontada por Weber tem nas encíclicas tanto um aprofundamento como uma expansão. Se este estudo pode contribuir para a compreensão dos enlaces – ainda que abstratos – que afetam o sentido econômico da ação social, é necessário considerar, a partir de agora, o "outro lado" do espectro religioso brasileiro. Afinal, se já se manifesta um deslocamento no campo hegemônico em direção aos evangélicos – um ramo do protestantismo –, quais seriam as consequências, ainda que ideais, dessa transformação? Estaria o Brasil iniciando sua encarnação do "espírito do capitalismo"?

CAPÍTULO 2

PROTESTANTISMO E O ESPÍRITO DO CAPITALISMO

CONSIDERAÇÕES PRELIMINARES

No primeiro capítulo, apresentamos um panorama geral da crítica católica ao capitalismo.[38] Tendo iniciado as reflexões a partir das ideias fundamentais que caracterizam a doutrina do catolicismo – em diálogo com Amintore Fanfani –, avançamos para a análise da materialização desse corpo teórico nos discursos que atravessam algumas das encíclicas mais importantes. Assim, nomes como os papas Leão XIII, Pio XI, Paulo VI, João Paulo II, Bento

---

38. Naturalmente, mesmo no campo católico existem outras abordagens, que aqui não puderem ser contempladas. Pense-se, por exemplo, na "teologia da libertação", como exposta por Gustavo Gutiérrez (1973), ou mesmo nas considerações do já mencionado Michael Novak (1991) acerca do "espírito democrático do capitalismo". Partindo da problematização apresentada por Weber, nosso percurso teve como objeto de análise apenas o conteúdo "econômico" das principais encíclicas que caracterizam a Doutrina Social da Igreja.

XVI e Francisco compuseram um mosaico analítico que teve como principal consequência a percepção de um fio condutor – referente à economia, nosso único objeto neste livro – que atravessa em mais de um século a Doutrina Social da Igreja.

Desse modo, temas como a crítica à pretensa autonomia do mercado, à exacerbação da livre concorrência e ao "despotismo econômico", passando pela crítica à compreensão liberalista da economia, à instrumentalização do homem pela idolatria do dinheiro e ao "fetichismo do dinheiro", a análise dos mercados de derivativos e da "finança criativa" subjacente às finanças *offshore* permitiram aprofundar e expandir a temática do "tradicionalismo" como colocada por Weber: "o ser humano não quer 'por natureza' ganhar dinheiro e sempre mais dinheiro, mas simplesmente viver, viver do modo como está habituado a viver e ganhar o necessário para tanto" (WEBER, 2004b, p. 53).

Consequentemente, a partir da análise das encíclicas, é possível observar como os laços impostos à acumulação de capital pela ética católica constituem um dos principais aspectos para a compreensão do sentido econômico da ação social, ainda que num plano abstrato de investigação. Cumpre destacar uma vez mais: isso não significa que o catolicismo deva ser visto como algo *contraposto* ao capitalismo.[39] A crítica à "autonomia das leis da economia" se põe tanto no âmbito doutrinário-teológico – que tem em Tomás de Aquino um dos centros de referência –, como no âmbito do magistério. Daí a importância de atentar para os *níveis* a partir dos quais determinada questão é abordada. Tendo isso em vista, cabe agora aprofundar o "outro lado" há pouco mencionado,

---

39. Nesse sentido, são famosas as reflexões de Gramsci sobre o protestantismo na Itália (GRAMSCI, 1977, p. 1684).

observando as influências que o novo pentecostalismo – tendo em vista os pilares da teologia da prosperidade e a teologia da dominação – podem exercer para a conduta de vida das pessoas.

Como já destacado, esse questionamento é importante devido ao processo de transição religiosa em curso em nosso país. Isso significa que até 2030 os católicos podem perder a maioria populacional para os evangélicos, sendo que em 2040 podem até mesmo ser ultrapassados (ALVES et al., 2017, p. 217).[40] Segundo José Eustáquio Dinis Alves, as filiações católicas permaneceram acima dos 90% do total populacional até fins dos anos 1970. No entanto, em menos de vinte anos, os católicos foram de 83,3% (em 1991) para 64,6% (em 2010), perdendo praticamente um por cento ao ano. No mesmo período – e isso é sintomático –, os evangélicos passaram de 6,6% (em 1991) para 22,2% (em 2010). Assim,

> os católicos devem chegar a 38,3% em 2040, os evangélicos devem chegar a 38,4% e as outras religiões além dos sem religião deve chegar a 18,9% em 2040. Em 2050, os dados devem ser 35,7% para os católicos, 39,8% para os evangélicos e 24,5% para outras religiões e os sem religião (ALVES, 2016).

Mais interessante ainda, a partir do censo demográfico de 2010, foi possível verificar que há, de um lado, uma certa estabilização no crescimento dos evangélicos tradicionais e, do outro, um crescimento dos evangélicos pentecostais e neopentecostais (ALVES, et al., 2017, p. 220), algo que Reginaldo Prandi tematizava dois anos antes:

---

40. O debate, no entanto, comporta abordagens distintas acerca dessa transição. Existem autores, por exemplo, que sustentam que a hegemonia católica não será colocada em risco. Consequentemente, o que estaria em jogo é uma mudança no campo da pluralidade religiosa (ALVES et al., 2017, p. 219).

Suponhamos, por fim, que o crescimento das religiões evangélicas as leve a suplantar o catolicismo em número de seguidores. O evangelicalismo se tornaria a religião da maioria, o catolicismo, de uma minoria. Se isso acontecesse, a cultura brasileira se tornaria evangélica? Dificilmente. O evangelicalismo seria a religião de indivíduos convertidos, um a um, e não a religião que funda uma nação e fornece elementos formadores de sua cultura (PRANDI, 2008, p. 170).

Note-se, no entanto, que a riqueza dessas análises tende a ser perdida caso não se atente para o significado dos termos apresentados nos últimos parágrafos. Afinal, qual o sentido dessas variações religiosas? Como elas se relacionam com a problematização apresentada no início do livro? De modo geral, deve-se lembrar que o termo *evangélico* "recobre o campo religioso formado pelas denominações cristãs nascidas na e descendentes da Reforma Protestante" (MARIANO, 2014, p. 10). Essa gênese protestante significa que a instância superior do cristianismo é posta na própria Bíblia, e não no papa, razão pela qual sua religião é evangélica, e não apostólica.

Com isso já se vê, por exemplo, como há uma certa contraposição em termos de hierarquia entre católicos e evangélicos.[41] Ainda assim, no âmbito da presente reflexão é ainda mais importante atentar para a derivação protestante destacada, razão pela qual retomamos o argumento desenvolvido na introdução. Lá ressaltamos a popularização, desde a década de 1990, da tese segundo a qual

---

41. Isso não significa que as igrejas evangélicas se abstenham de toda e qualquer hierarquia. Pelo contrário, a Igreja Universal do Reino de Deus (IURD) tem no pastor Edir Macedo seu líder máximo. No que se refere à atuação política da IURD, Valdemar Figueiredo Filho não deixa de destacar: "os que não se alinham à política hierárquica da IURD são retirados dos seus quadros – religioso e político" (FIGUEIREDO FILHO, 2005, p. 89).

o crescimento pentecostal poderia, a médio prazo, "se constituir num poderoso estímulo para o fortalecimento da economia de mercado nos países latino-americanos" (MARIANO, 1996, p. 42). Ou seja, uma vez compreendido enquanto ramificação protestante, o neopentecostalismo poderia ser decifrado como uma espécie de *continuidade* daquele *ethos* que, segundo Weber, possui afinidades com o "espírito do capitalismo".

Naturalmente, isso não deve levar à conclusão de que não existem diferenças no campo evangélico. Assim, pode-se até mesmo falar em "ondas" do movimento pentecostal no Brasil. Tendo em vista a "versatilidade do pentecostalismo e evolução ao longo do tempo", de um lado, e "as marcas que cada igreja carrega da época em que nasceu", Paul Freston propôs a seguinte divisão:

> O pentecostalismo brasileiro pode ser compreendido como a história de *três ondas* de implementação de igrejas. A primeira onda é a década de 1910, com a chegada da Congregação Cristã (1910) e da Assembleia de Deus (1911). [...] A segunda onda pentecostal é dos anos 50 e início de 60, na qual o campo pentecostal se fragmenta, a relação com a sociedade se dinamiza e três grandes grupos (em meio a dezenas de menores) surgem: a Quadrangular (1951), Brasil para Cristo (1955) e Deus é Amor (1962). O contexto dessa pulverização é *paulista*. A terceira onda começa no final dos anos 70 e ganha força nos anos 80. Suas principais representantes são a Igreja Universal do Reino de Deus (1977) e a Igreja Internacional da Graça de Deus (1980). Novamente, essas igrejas trazem uma atualização inovadora da inserção social e do leque de possibilidades teológicas, litúrgicas, éticas e estéticas do pentecostalismo. O contexto é fundamentalmente *carioca* (FRESTON, 1993, p. 66, grifos do autor).

É a partir dessa abordagem que Ricardo Mariano apresentará uma "tipologia das formações pentecostais", em que se diferenciam o pentecostalismo clássico, o deuteropentecostalismo e o neopentecostalismo (MARIANO, 2014, p. 23). Note-se, no entanto, que não são poucas as diferenças entre o pentecostalismo, de modo geral, e o protestantismo. Daí a advertência feita pelo autor:

> os pentecostais, diferentemente dos protestantes históricos, acreditam que Deus, por intermédio do Espírito Santo e em nome de Cristo, continua a agir hoje da mesma forma que no cristianismo primitivo, curando enfermos, expulsando demônios, distribuindo bênçãos e dons espirituais, realizando milagres, dialogando com seus servos, concedendo infinitas amostras concretas de Seu supremo poder e inigualável bondade (MARIANO, 2014, p. 10).

No que se refere especificamente ao novo pentecostalismo, é possível observar ao menos quatro características principais: (i) a pregação da *teologia da prosperidade*; (ii) a exacerbação da *teologia da dominação*; (iii) a liberalização dos usos e costumes; e (iv) a organização empresarial das igrejas (MARIANO, 2014, p. 36). De certo modo, é a teologia da prosperidade que mais parece permitir a associação entre evangélicos e sucesso econômico.[42] Pense-se, por exemplo, na seguinte passagem de Kenneth Hagin:

> Nós, como cristãos, não precisamos sofrer reveses financeiros; não precisamos ser cativos da pobreza ou da enfermidade! Deus proverá a cura e a prosperidade para Seus filhos se eles obedecerem aos Seus mandamentos... Deus quer que Seus filhos... tenham o melhor de tudo (HAGIN, 2000, p. 66).

---

42. Este tema será analisado no capítulo 3.

Como será destacado no capítulo 3, a teologia da prosperidade implica uma "secularização da ética protestante" (FRESTON, 1993, p. 105). Se a Igreja pós-reforma protestante exigia o ascetismo intramundano como uma espécie de sinal da salvação divina e das recompensas *futuras*, ao menos duas alterações históricas chamam a atenção: primeiramente, a ideia de que as recompensas *deste mundo*, isto é, o acúmulo de riquezas, era um produto do esforço intramundano e comprovava a graça divina; em segundo lugar, a narrativa de que a prosperidade mundana poder ser alcançada *sem* a necessidade de um trabalho árduo e sistemático.

Ora, essas mudanças jogam contra ou a favor da vinculação entre novo pentecostalismo e o "espírito" do calvinismo, que tem no puritanismo inglês seu maior exemplo? Para responder a essa pergunta, retomaremos as reflexões de Weber sobre os fundamentos religiosos da ascese intramundana, e logo após consideraremos as relações existentes entre ascese e capitalismo. Somente então teremos as condições necessárias para abordar detidamente, no capítulo 3, os pilares do novo pentecostalismo – a teologia da prosperidade e a teologia da dominação – e, assim, problematizar seu amálgama com o "espírito" do capitalismo.

APROFUNDANDO O SENTIDO DO "ESPÍRITO" DO CAPITALISMO: DA CONCEPÇÃO CALVINISTA DA VIDA ECONÔMICA AO PURITANISMO INGLÊS

Na primeira parte deste livro, tivemos a oportunidade de destacar a importância da vocação – *Beruf* – para a Reforma Protestante. Foi ressaltado também que mesmo Lutero mantinha-se consideravelmente preso a uma concepção tradicionalista da vida. Daí a ideia de que o *aprofundamento* do sentido da vocação passa necessariamente pelo calvinismo e pelo puritanismo inglês, razão pela qual Weber salienta que "a ênfase da ideia puritana de profissão recai sempre nesse caráter metódico da ascese vocacional, e não, como em Lutero, na resignação à sorte que Deus nos deu de uma vez por todas" (WEBER, 2004b, p. 147).

Mas isso não significa, em hipótese alguma, que o estudo do campo protestante tenha para Weber qualquer sentido *pessoal*, algo como uma "preferência". Pelo contrário, em carta a Adolf von Harnack (de 5 de fevereiro de 1906), Weber faz a seguinte confissão:

> Por mais elevado que se encontre Lutero, acima de todos os outros, o luteranismo é para mim, [...] em suas formas históricas, o mais terrível dos terrores, e mesmo na forma ideal [...]. Para mim, para nós alemães, é uma formação da qual eu nunca estou incondicionalmente seguro de quanta força de apreensão da vida poderia sair dela. [...] Que nossa nação nunca tenha passado pela dura escola do ascetismo, em nenhuma de suas formas, é [...] a fonte de tudo aquilo o que eu acho odioso nela (como em mim mesmo) (WEBER, 1906 apud RIESEBRODT, 2012, p. 173).[43]

De todo modo, o caráter metódico da ascese vocacional possui um significado fundamental para este livro. Como destaca Riesebrodt,

---

43. É por isso mesmo particularmente sugestivo o estudo de *A ética protestante e o espírito do capitalismo* como uma espécie de "autoanálise" weberiana acerca das figuras paterna e materna. Segundo Riesebrodt, o livro pode ser lido "como uma autoanálise sociológico-cultural de Weber e sua família. Em sua contraposição de luteranismo e protestantismo ascético, Weber confronta-se com formas de vida e traços de caráter que também se encontram em seus pais: de um lado, a mãe, devota e obediente a princípios; de outro, o pai, de bem com a vida. Essas contraposições foram experimentadas por Max Weber já em sua casa paterna e tiveram uma erupção dramática em uma confrontação entre ele e seu pai acerca dos direitos de sua mãe" (RIESEBRODT, 2012, p. 174).

Weber não trata de "capitães da economia" e suas receitas de sucesso, mas sim das origens de uma nova visão do trabalho que contribuiu para o sistema do capitalismo empresarial moderno e, dessa maneira, alcançou um efeito de massa. Portanto, o que está em debate é um fenômeno cultural que, a longo prazo, também teve repercussão sobre as estruturas econômicas, um novo *ethos*, que representa a quebra da visão tradicional do trabalho e da atividade econômica (RIESEBRODT, 2012, p. 159).

Será necessário questionar até que ponto o novo pentecostalismo pode ser considerado uma continuação desse *ethos* na medida em que constitui o alicerce da compreensão de mundo protestante. Por isso mesmo, convém destacar o significado geral que fará com que a ascese intramundana subjacente ao calvinismo e ao puritanismo inglês se manifeste como "a alavanca mais poderosa que se pode imaginar da expansão dessa concepção de vida que aqui temos chamado de 'espírito' do capitalismo" (WEBER, 2004b, p. 157).

O calvinismo

O calvinismo foi a fé "em torno da qual se moveram as grandes lutas políticas e culturais do século XVI e XVII nos países capitalistas mais desenvolvidos – dos Países Baixos, a Inglaterra, a França" (WEBER, 2004b, p. 90). Isso ocorre principalmente em razão da doutrina da *predestinação*, "a primeira coisa no calvinismo a ser considerada um perigo para o Estado e combatida pelas autoridades" (WEBER, 2004b, p. 91), cujo conteúdo pode ser vislumbrado em algumas passagens de *A confissão de fé de Westminster*, de 1647.

No capítulo sobre a "livre vontade", por exemplo, encontra-se a ideia de que o homem, por sua queda no estado de pecado, teria perdido toda e qualquer capacidade de caminhar em direção à salvação *por ele mesmo*, isto é, por sua vontade e esforço (apud WEBER, 2004b, p. 91). Já no capítulo referente ao "decreto eterno de Deus", pode-se verificar o discurso de que "alguns homens [...] são predestinados (*predestinated*) à vida eterna, e outros preordenados (*forordinated*) à morte eterna" (apud WEBER, 2004b, p. 91).

Mas é em Calvino que se encontra a melhor expressão dessa doutrina. Tal como colocado por Weber, "para Calvino, não é Deus que existe para os seres humanos, mas os seres humanos que existem para Deus", de modo que os acontecimentos cotidianos só poderiam ser compreendidos como "um meio em vista do fim que é a autoglorificação da majestade de Deus" (WEBER, 2004b, p. 94). Consequentemente, toda a temática referente às "boas obras" – tão comum no catolicismo – sofre aqui uma inversão, já que os critérios terrenos de avaliação das condutas não podem exercer qualquer papel frente à sua vontade.

Isso significa que a própria noção de liberdade é radicalmente alterada no calvinismo. Ora, apenas Deus é efetivamente livre, no preciso sentido de que ele não se submete a nenhuma lei. Mais importante ainda, "seus decretos só nos podem ser compreensíveis ou em todo caso conhecidos na medida em que ele achar por bem comunicá-los a nós". Isso significa a própria existência pessoal, isto é, o *sentido da nossa vida*, acaba envolto "em mistérios obscuros que é impossível e arrogante sondar" (WEBER, 2004b, p. 94). Assim:

> Toda criatura está separada de Deus por um abismo intransponível e aos olhos dele não merece senão a morte eterna, a menos que ele, para a glorificação de sua majestade, tenha

decidido de outra forma. De uma coisa apenas sabemos: que uma parte dos seres humanos está salva, a outra ficará condenada. Supor que mérito humano ou culpa humana contribuam para fixar esse destino significaria encarar as decisões absolutamente livres de Deus, formadas desde a eternidade, como passíveis de alteração por obra humana: ideia impossível. [...]. Uma vez estabelecido que seus decretos são imutáveis, a graça de Deus é tão imperdível por aqueles a quem foi concedida como inacessível àqueles a quem foi recusada (WEBER, 2004b, p. 94-95).

Como se vê, a principal consequência subjetiva derivada dessa doutrina é a "*solidão interior do indivíduo*" (WEBER, 2004b, p. 95, grifo do autor), um primeiro aspecto que nos ajudará a compreender as consequências do calvinismo para a ação econômica cotidiana. Por isso mesmo, aqui já se manifesta a ideia de que o cristão está sozinho em sua estrada ao encontro do destino, fixado desde a eternidade. Note-se, no entanto, que isso vem acompanhado por um processo de "supressão absoluta da salvação eclesiástico--*sacramental*", razão pela qual salientamos, ainda no capítulo 1, que o calvinismo está intimamente relacionado ao desencantamento do mundo (*Entzauberung der Welt*).[44] Daí o argumento de Weber: "não havia nenhum meio mágico, melhor dizendo, meio nenhum que proporcionasse a graça divina a quem Deus houvesse decidido negá-la" (WEBER, 2004b, p. 96).

Ora, esse "isolamento íntimo do ser humano" nos auxilia a compreender os motivos subjacentes à negação calvinista dos

---

44. Longe de constituir um termo que designe algo como uma "visão de mundo", trata-se aqui de um *conceito* importante no arsenal teórico weberiano, mesmo com suas variações de sentido. No âmbito de *A ética protestante e o espírito do capitalismo*, importa conceber o conceito como "desmagificação" (PIERUCCI, 2003).

elementos de origem sensorial e sentimental na cultura. Uma vez que estes em nada contribuem para a salvação, sua única função só pode ser a de nos iludir e fazer perder tempo. Se isto sem dúvida alguma era o reflexo da mais extrema confiança em Deus, aqui também se verifica a fermentação de um "individualismo desiludido e de coloração pessimista" (WEBER, 2004b, p. 96). Não por acaso, a literatura puritana tantas vezes se insurgirá *contra* toda confiança na ajuda e na amizade dos homens.

Veja-se: a ideia de que o único "homem de confiança" é Deus, articulada com o individualismo apartado da prática de toda e qualquer preocupação com o outro – que, afinal, ou já está salvo ou já está condenado –, esses elementos fazem emergir a *indiferença* e a *aceitação* das desigualdades,[45] um corolário de alguém que só se ocupa consigo mesmo e só pensa na própria salvação. Por isso mesmo, Weber inicialmente qualifica como um "enigma" a associação dessa tendência ao isolamento do indivíduo com a "incontestável superioridade do calvinismo na organização social" (WEBER, 2004b, p. 98). Como, então, encaminhar uma resposta?

É necessário atentar para o seguinte: essa superioridade precisa ser compreendida como manifestação da autoglorificação de Deus. Uma vez que o mundo está destinado a isso, o cristão eleito deve fazer crescer no mundo a glória de Deus: "Mas Deus quer do cristão uma obra social *porque* quer que a conformação social da vida se faça conforme seus mandamentos e seja endireitada de forma a corresponder a esse fim". Consequentemente, "o traba-

---

45. Tal como destacado por Weber: "para esse estado de graça dos eleitos e, portanto, salvos pela graça divina, não era adequada a solicitude indulgente com os pecados do próximo apoiada na consciência da própria fraqueza, mas sim o ódio e o desprezo por um inimigo de Deus, alguém que portava em si o estigma da perpétua danação" (WEBER, 2004b, p. 111).

lho social[46] do calvinista no mundo é exclusivamente trabalho *in majorem* Dei *gloriam* [para aumentar a glória *de Deus*]" (WEBER, 2004b, p. 99, grifo do autor). Veja-se o argumento de Swedberg:

> O calvinismo teve uma visão muito sombria da humanidade, na qual a predestinação desempenhou um papel fundamental. Ninguém além de Deus sabia quem eram os eleitos, e não havia absolutamente nada que o indivíduo pudesse fazer para mudar o seu destino pré-determinado. Isto, poder-se-ia pensar, teria levado ao fatalismo e à resignação, mas não foi esse o caso. Ao invés disso, a escuridão da escolha entre a condenação e a salvação predispuseram o indivíduo a uma conduta metódica no vício serológico de Deus, assim como o fato crucial de que nenhum perdão poderia ser dado pelos seus pecados, mesmo que eles fossem menores. Uma forte hostilidade ao estado natural do homem (*status naturalis*) e o fato de que os benefícios religiosos só poderiam ser obtidos no próximo mundo, e não nesta vida, operavam na mesma direção. O calvinismo também continha um elemento vigoroso de ativismo – o homem deveria servir a Deus mudando o mundo na sua imagem – e este elemento dirigia as atividades sistemáticas e irrequietas dos crentes para fora, para as instituições sociais existentes (SWEDBERG, 1998, p. 124-125).

Ora, com isso se compreende as razões pelas quais o trabalho numa profissão a serviço da vida intramundana adquire o mesmo

---

46. Weber faz questão de destacar, em uma nota de rodapé, que "'social', naturalmente, sem nenhum eco do sentido moderno da palavra, só com o sentido de atuação no interior de organizações políticas, eclesiásticas e demais organizações comunitárias" (WEBER, 2004b, p. 210).

significado. Daí também a nova significação do "amor ao próximo". Uma vez que só é permitido servir à glória de Deus,

> o "amor ao próximo" [...] expressa-se *em primeiro lugar* no cumprimento da missão *vocacional-profissional* imposta pela *lex naturae*, e nisso ele assume um caráter peculiarmente objetivo-*im*pessoal: trata-se de um serviço prestado à conformação racional do cosmos social que nos circunda (WEBER, 2004b, p. 99, grifos do autor).[47]

Como se vê, a vinculação do indivíduo à sociedade se constrói pela *utilidade*, no preciso sentido de que o trabalho profissional é útil à promoção da glória de Deus. Note-se, no entanto, que mesmo esse caráter utilitário da ética calvinista não resolve por si só a dúvida primordial suscitada pela doutrina da predestinação: "serei *eu* um dos eleitos? E como *eu* vou poder ter certeza dessa eleição?" (WEBER, 2004b, p. 100, grifos do autor). As respostas a esses questionamentos são fundamentais para os propósitos deste livro, já que elas nos permitirão compreender melhor a vinculação do calvinismo e do puritanismo ao sentido econômico da ação social.

De todo modo, num primeiro momento, é importante atentar que Calvino resolve essa questão destacando somente a fé. Diante da pergunta de como o indivíduo poderia se *certificar* de sua própria eleição, ele respondia "que devemos nos contentar em tomar conhecimento do decreto de Deus e perseverar na confiança em Cristo operada pela verdadeira fé" (WEBER, 2004b, p. 100). Isso significa que em Calvino não há espaço para buscar uma

---

47. No último capítulo da *História geral da economia*, significativamente intitulado "A evolução do espírito capitalista", Weber salienta que a repugnância pelas relações impessoais era o componente essencial da típica antipatia que católicos e luteranos tinham pelo capitalismo (WEBER, 2003, p. 357).

comprovação na análise dos comportamentos humanos, sendo a "firme confiança" o único caminho para o indivíduo "saber" que pertencia ao grupo dos "eleitos".

Ainda assim, e isso é fundamental, Weber destaca que se contentar com o critério a que Calvino remetia "era no mínimo impossível" frente à dúvida do estado de graça pessoal, principalmente no âmbito das práticas relacionadas à "cura da alma" (WEBER, 2004b, p. 101). Essa é a razão pela qual surgem inicialmente dois tipos básicos de aconselhamento, quais sejam, o dever de se considerar eleito, repudiando toda e qualquer dúvida como uma tentação do diabo, uma falta de confiança e fé suficientes,[48] e a compreensão do trabalho profissional sem descanso como o meio mais propício para conseguir essa autoconfiança, já que apenas ele dissiparia as dúvidas e comprovaria o estado de graça (WEBER, 2004b, p. 101-102).

No entanto, para além dessas questões, importava cada vez mais estabelecer de algum modo uma espécie de critério de salvação, isto é, "a fé precisa se comprovar por seus *efeitos* objetivos a fim de poder servir de base segura para a *certitudo salutis*: precisa ser uma *fides efficax*" (WEBER, 2004b, p. 104, grifo do autor). E é a partir desse raciocínio que a temática das "boas obras" se insere na Igreja reformada, como um verdadeiro "estímulo positivo". Não mais como *meio* para obter a bem-aventurança eterna, como no catolicismo, mas como *sinal* da eleição, como "meio técnico, não de comprar a bem-aventurança, mas sim: perder o medo de não tê-la" (WEBER, 2004b, p. 104). Esse seria o processo para possuir a verdadeira *fides efficax*, algo que Weber procura resumir do seguinte modo:

---

48. Mais adiante destacaremos que esta também será uma das características do neopentecostalismo, notadamente no âmbito da teologia da prosperidade.

> Ora, em termos práticos isso significa que, no fim das contas, Deus ajuda a quem se ajuda, por conseguinte o calvinista, como de vez em quando também se diz, *"cria" ele mesmo* sua bem-aventurança eterna – em rigor o correto seria dizer: a certeza dela –, mas esse criar *não pode* consistir, como no catolicismo, num acumular progressivo de obra meritórias isoladas, mas sim numa auto-*inspeção sistemática que a cada instante* enfrenta a alternativa: eleito ou condenado? (WEBER, 2004b, p. 105, grifos do autor).

Aqui é importante atentar para o seguinte: a acumulação de "boas obras" e, consequentemente, o trabalho profissional devem ocorrer de modo sistemático, controlado, tendo como objetivo servir como demonstração, a todo instante, dos sinais da salvação. Daí a importância de atentar para os "termos práticos" decorrentes dessa doutrina da "santificação pelas obras" no calvinismo.

Diferentemente do católico que, do ponto de vista ético, vivia do já mencionado *von der Hand in der Mund* [da mão para a boca], isto é, cumprindo seus deveres tradicionais e fazendo das "boas obras" ações *isoladas* que apenas *compensavam* pecados concretos ou significavam um crédito para a vida futura, o calvinista, imbuído do "desencantamento do mundo", fazia das "boas obras" um verdadeiro *sistema racional* de comprovação da graça pessoal.[49] Há aqui um ideal de vida, de ação social em que se manifesta um contínuo "domínio de si", algo que Weber também procurou captar nos seguintes termos:

---

49. Daí o argumento de Riesebrodt: "mesmo no plano ético, catolicismo e luteranismo não se distinguem no essencial. A ambos falta o caráter sistemático do protestantismo ascético. Confissões e boas ações aliviam as almas católica e luterana, ao passo que o protestante ascético só podia assegurar a salvação eterna através de autocontrole ético estrito" (RIESEBRODT, 2012, p. 172).

[trata-se de] um método sistematicamente arquitetado de condução racional da vida com o fim de suplantar o *status naturae*, de subtrair o homem ao poder dos impulsos irracionais e à dependência em relação ao mundo e à natureza, de sujeitá-lo à supremacia de uma vontade orientada por um plano, de submeter permanentemente suas ações à auto-*inspeção* e à *ponderação* de sua envergadura ética, e dessa forma educar o monge – objetivamente – como um operário a serviço do reino de Deus e com isso lhe assegurar – subjetivamente – a salvação da alma (WEBER, 2004b, p. 108, grifos do autor).

Não por acaso, essa ascese tinha como *meta* "poder levar uma vida sempre alerta, consciente, clara"; como *missão*, a eliminação da "espontaneidade do gozo impulsivo da vida"; e como *meio*, "botar *ordem* na conduta de vida de seus seguidores". Se esses eram os elementos que conferiam ao calvinismo "seu enorme poder de triunfar no mundo" (WEBER, 2004b, p. 109, grifo do autor), com isso se compreende de que modo a doutrinação da predestinação funciona como uma espécie de mola propulsora da conduta de vida ética metodicamente organizada.

Mas não só, já que a ideia de *comprovação* trazia para a vida cotidiana uma modelação da ação social que tinha na autoinspeção constante e na regulamentação planificada da vida pessoal características fundantes do "espírito" do capitalismo, algo que constituía uma notória contraposição ao tradicionalismo subjacente ao catolicismo, de um lado, e uma diferença profunda frente ao luteranismo,[50] do outro. Uma vez que os argumentos levanta-

---

50. Weber já havia chamado a atenção para a proximidade de Lutero com o tradicionalismo, algo que procuramos destacar ainda no capítulo 1. De todo modo, a *piedade* luterana e a *gratia amissibilis* aparecem neste momento com dois elementos bloqueadores da sistemática conformação racional da vida ética em seu conjunto.

dos nas páginas anteriores já sugerem o peso da fundamentação religiosa da ascese intramundana para as máximas da vida econômica cotidiana, sua vinculação mais estreita com o capitalismo é explorada por Weber a partir do estudo do puritanismo inglês, nascido do calvinismo.

O puritanismo inglês

Se as considerações de Weber sobre o calvinismo[51] compõem o que ele denomina "fundamentação religiosa da ascese intramundana", é sintomático que a análise do puritanismo inglês se dê no âmbito do capítulo "Ascese e capitalismo".[52] Trata-se de abordar o protestantismo ascético "como *um* bloco" (WEBER, 2004b, p. 141, grifo do autor), tendo como base um de seus principais representantes: Richard Baxter, que se desvencilhou do calvinismo original, e como foco o "fomento prático à vida moral religiosa" (WEBER, 2004b, p. 142), notadamente no âmbito da cura das almas.

Por isso mesmo, é importante destacar desde já o intuito de nossa abordagem nesta seção, qual seja, a compreensão mais detalhada da ideia de comprovação da graça pessoal e sua conexão com o "espírito" capitalista, de um lado, e suas consequências para a própria "sobrevivência" dos fundamentos religiosos da conduta ascética intramundana, do outro. Como será destacado mais adiante, esse será o gancho para a análise dos pilares que caracterizam o neopentecostalismo enquanto *adaptação* protestante ao capitalismo financeirizado.

---

51. As análises presentes em *A ética protestante e o espírito do capitalismo* são, naturalmente, mais complexas. No primeiro capítulo da Parte II – "A ideia de profissão do protestantismo ascético" –, Weber também analisa o pietismo, o metodismo e as seitas anabatistas e batistas. Tendo em vista as limitações do presente livro e a importância do calvinismo, fizemos deste nosso objeto principal de análise.
52. Na edição de 1920, o título passa a ser "Ascese e espírito capitalista".

Comecemos, portanto, tematizando a questão da *riqueza*. Weber destaca que em Baxter ela aparece como um "grave perigo", algo continuamente "tentador", levando a uma "ambição" que "não tem sentido diante da significação suprema do reino de Deus, como ainda é moralmente reprovável" (WEBER, 2004b, p. 142-143). Assim,

> De maneira mais nítida que em Calvino, que não via na riqueza dos pastores um obstáculo a sua performance, mas, ao contrário, enxergava aí um aumento plenamente desejável de seu prestígio e permitia a eles investirem suas posses lucrativamente com a única condição de evitarem o escândalo, aqui a ascese parece se dirigir *contra* toda ambição de ganho em bens temporais (WEBER, 2004b, p. 143, grifo do autor).

Note-se que Weber faz questão de dizer que a ascese *parece* se dirigir contra toda a ambição de ganho em bens temporais. Isso se deve ao preciso sentido da condenação da riqueza. Assim, o que era efetivamente condenável era o *descanso* sobre a posse, isto é, o *gozo* da riqueza que fazia com que o homem se abandonasse ao ócio e ao prazer carnal, abdicando de uma vida "santa". Trata-se de um raciocínio facilmente perceptível no capítulo X do livro *O descanso eterno dos santos*, de Baxter:

> Quem quiser ficar descansando longamente no "albergue" que Deus lhe dá, que são as posses, por Ele é castigado já nesta vida. O lauto repouso em cima da riqueza adquirida quase sempre é prenúncio de ruína. Pergunta-se: se tivéssemos tudo quanto *poderíamos* ter no mundo, isso já seria tudo o que *esperaríamos* ter? *Satisfação plena e cabal* não se alcança aqui na terra – justamente porque, por vontade de Deus, ela não *deve* existir (WEBER, 2004b, p. 249, grifos do autor).

Como se vê, "é só *porque* traz consigo o perigo desse relaxamento que ter posses é reprovável" (WEBER, 2004b, p. 143, grifo do autor). Ou seja, a crítica à riqueza tem seu principal alvo na *perda de tempo*, no bloqueio à ação conforme a vontade de Deus. Disso derivam igualmente as críticas à perda de tempo com a sociabilidade, "conversa mole", luxo e até mesmo o sono excessivo. Em suma: "o tempo é infinitamente valioso porque cada hora perdida é trabalho subtraído ao serviço da glória de Deus" (WEBER, 2004b, p. 143-144).

Esses são os motivos que levam Baxter a pregar a necessidade do trabalho duro e continuado, seja ele espiritual ou corporal. Apesar da histórica legitimidade do trabalho como uma verdadeira lei natural de apropriação – a sentença de Paulo "quem não trabalha não coma" já é nítida a esse respeito –, há no puritanismo algo diferente da doutrina medieval. Tomás de Aquino, por exemplo, também se valia da máxima de Paulo, mas o trabalho era interpretado como algo necessário apenas *naturali ratione* [por razão natural], isto é, tão somente como algo indispensável à manutenção do indivíduo e da coletividade.

Em Baxter, no entanto, não há nenhuma exceção ao dever ético de trabalhar, nem mesmo a riqueza. E são as consequências psicológicas desse mandamento[53] que nos interessam, notadamente no âmbito econômico. É verdade que a ideia de divisão social do trabalho e a articulação profissional da sociedade já estavam presentes em Tomás de Aquino, que via a conexão entre ambos

---

53. Segundo Weber, "também ao homem de posses não é permitido comer sem trabalhar, pois se ele de fato não precisa do trabalho para cobrir suas necessidades, nem por isso deixa de existir o mandamento de Deus, ao qual ele deve obediência tanto quanto o pobre. A todos, sem distinção, a Providência divina pôs à disposição uma vocação (*calling*) que cada qual deverá reconhecer e na qual deverá trabalhar, e essa vocação não é, como no luteranismo, um destino no qual ele deve se encaixar e com o qual vai ter que se resignar, mas uma ordem dada por Deus ao indivíduo a fim de que seja operante por sua glória" (WEBER, 2004b, p. 145).

como algo derivado do plano de Deus para o mundo. No entanto, a inserção dos indivíduos nesse cosmo era contingente, aleatória. Em Lutero, por sua vez, há uma primeira inversão do sentido dessa ordem, já que a referida inserção é vista como produto objetivo da vontade divina, isto é, um mandamento que faz com que os indivíduos devam permanecer na posição social e nos limites estabelecidos por Deus (WEBER, 2004b, p. 146). Mas algo diferente – na verdade, uma nova inversão – ocorre no puritanismo:

> Na visão puritana, por sua vez, outro é o matiz do caráter providencial do jogo recíproco de interesses econômicos privados. Segundo o esquema de interpretação pragmática dos puritanos, é pelos seus *frutos* que se reconhece qual é o fim providencial da articulação da sociedade em profissões. Ora, acerca desses frutos Baxter deixa fluir argumentos que em mais de um ponto lembram diretamente a célebre apoteose que Adam Smith faz da divisão do trabalho. A especialização das profissões, por facultar ao trabalhador uma competência (*skill*), leva ao incremento quantitativo e qualitativo do rendimento do trabalho e serve, portanto, ao bem comum (*common best*), que é idêntico ao bem do maior número possível (WEBER, 2004b, p. 146, grifo do autor).

Veja-se: não parece ser mera casualidade que este raciocínio utilitário lembre a doutrina econômica de Smith. Se com isso se vê de que modo a ideia puritana de profissão se orienta por critérios morais e de auxílio à "coletividade", aqui entra em cena um terceiro elemento, fundamental para a nossa abordagem, qual seja a *capacidade de dar lucro*, isto é, lucro econômico privado.

Assim, "se esse Deus, que o puritano vê operando em todas as circunstâncias da vida, indica a um dos seus uma oportunidade de lucro, é que ele tem lá suas intenções ao fazer isso. Logo, o cristão de fé tem que seguir esse chamado e aproveitar a oportunidade" (WEBER, 2004b, p. 148), um *mandamento* que já expressamos, ainda na introdução, e que é aqui retomado:

> Se Deus vos indica um caminho no qual, sem dano para vossa alma ou para outrem, *possais ganhar* nos limites da lei *mais* do que num outro caminho, e vós o rejeitais e seguis o caminho que vai trazer ganho menor, então *estareis obstando um dos fins do vosso chamamento, estarei vos recusando* a ser o *administrador de Deus* e a receber os seus dons para poderdes empregá-los para Ele se Ele assim o exigir. Com certeza não para fins da concupiscência da carne e do pecado, *mas sim para Deus, é permitido trabalhar para ficar rico* (WEBER, 2004b, p. 148, grifos do autor).

Ora, quais são as consequências desse aprofundamento[54] da fundamentação religiosa da ascese intramundana? Se o trabalho duro sistemático como *sinal* de comprovação da graça pessoal já aparecia no calvinismo, com o puritanismo inglês se desenvolve não apenas a peculiar divisão social do trabalho de matriz utilitária, mas também sua vinculação rentável. Consequentemente, para retomarmos a questão inicial referente à riqueza, esta só é reprovável "precisamente e somente como tentação de abandonar-se ao ócio, à preguiça e ao pecaminoso gozo da vida" (WEBER, 2004b, p. 148). Mais importante ainda, quando a riqueza "advém enquanto desempenho do dever vocacional, ela é não só

---

54. Um aprofundamento, pois, como destaca Swedberg, "não se pode encontrar um argumento explícito a favor de um novo espírito capitalista nas declarações de Calvino e de outros importantes líderes protestantes. A principal preocupação desses líderes foi sempre com a salvação da alma, enfatiza Weber, e não com a produção de dinheiro e o capitalismo" (SWEDBERG, 1998, p. 123).

moralmente lícita, mas até mesmo um mandamento" (WEBER, 2004b, p. 148).⁵⁵

Isso significa que a ideia de vocação profissional tem por resultado "dispor justamente os adeptos mais *sérios* da vida ascética [(por conta de seu progresso)] ao serviço da vida de lucros capitalistas" (WEBER, 2004b, p. 257, grifo do autor). Daí a ideia – por nós também já mencionada – de que *querer ser pobre* seja comparado ao *querer ser um doente*, de modo que aquele que pede esmolas, além de ser nocivo à glória de Deus, também cometeria o pecado da preguiça (WEBER, 2004b, p. 148). Como se vê, essa interpretação providencialista das oportunidades de lucro está intimamente associada ao moderno *homem de negócios*.

Não por acaso, no discurso inaugural para a Assembleia de Londres, em 1903, o presidente da Baptist Union of Great Britain and Ireland – G. White – dizia: "os melhores homens registrados em nossas igrejas puritanas eram *homens de negócios* que acreditavam que a religião deve permear a totalidade da vida" (WEBER, 2004b, p. 258, grifo do autor). Por isso mesmo,

> A posuda lassidão do grão-senhor e a ostentação rastaquera do novo rico são igualmente execráveis para a ascese. Em compensação, verdadeiro clarão de aprovação ética envolve o sóbrio *self-made man* burguês (WEBER, 2004b, p. 149).

Daí a importância de atentar para mais uma nota de rodapé, momento em que Weber enfatiza como essa aproximação ao homem burguês *marca* "o contraste característico em relação a toda e qualquer concepção feudal":

---

55. Em nota de rodapé, Weber faz questão de destacar: "isso é o decisivo" (WEBER, 2004b, p. 257).

Segundo esta [concepção feudal], só ao descendente do parvenu (político ou social) é dado colher os frutos do sucesso dele, tendo já passado pela consagração do sangue. (Isso vem expresso de forma característica no espanhol *hidalgo = hijo d'algo – filius de aliquo* [onde "*aliquid*" quer dizer precisamente um patrimônio herdado dos ancestrais]). Por mais que hoje essas diferenças venham perdendo o brilho na rápida transformação e europeização do "caráter nacional" americano, lá se observa ainda hoje, vez por outra, a concepção *diametralmente oposta*, de específico caráter burguês, que exalta *o sucesso e o lucro* com negócios como sintoma de *performance* espiritual, tratando porém sem nenhum respeito a *mera propriedade* (WEBER, 2004b, p. 258-259, grifos do autor).

Note-se que o sucesso e o lucro com negócios são vistos como *sintomas* da performance espiritual, em claro aprofundamento da temática dos "sinais" da graça pessoal presente em Calvino.[56] Além disso, é importante atentar para o *sentido* dessa ética econômica, que está em contraposição com a ética presente no judaísmo. Daí o argumento de que "o judaísmo postava-se ao lado do capitalismo 'aventureiro' politicamente orientado ou de orientação especulativa: seu *ethos*, numa palavra, era o do capitalismo-*pária*", algo particularmente distante do puritanismo, que "portava em si o *ethos* da *empresa* racional burguesa e da organização racional do *trabalho*" (WEBER, 2004b, p. 151, grifos do autor).[57]

---

56. A fundamentação canônica disso ocorre principalmente a partir do Livro de Jó, único em que é possível encontrar o argumento – tão presente na teologia da prosperidade do novo pentecostalismo – de que Deus costuma abençoar os seus também nesta vida (WEBER, 2004b, p. 150).
57. Swedberg destaca que "o conceito de capitalismo aventureiro atravessa duas das categorias que Weber utiliza na sua discussão sobre os diferentes tipos de capitalismo em *Economia e Sociedade*, nomeadamente o capitalismo político e o

E é exatamente a partir dessa reflexão que Weber procura tornar claros "os pontos nos quais a concepção puritana de vocação profissional e a exigência de uma conduta de vida ascética haveriam de influenciar *diretamente* o desenvolvimento do estilo de vida capitalista" (WEBER, 2004b, p. 151, grifo do autor). Aqui se manifestam, por exemplo, a rejeição ao gozo descontraído da vida e a postura hostil em relação aos bens culturais, cujo valor não fosse diretamente religioso, elementos que compõem uma fundamentação particularmente conhecida nos dias de hoje:

> A ideia de *obrigação* do ser humano para com a propriedade que lhe foi confiada, à qual se sujeita como prestimoso administrador ou mesmo como "máquina de fazer dinheiro", estende-se por sobre a vida feito uma crosta de gelo. Quanto mais posses, tanto mais cresce – *se* a disposição ascética resistir a essa prova – o peso do sentimento da responsabilidade não só de conservá-la na íntegra, mas ainda de multiplicá-la para a glória de Deus através do trabalho sem descanso. Mesmo a gênese desse estilo de vida remonta em algumas de suas raízes à Idade Média como aliás tantos outros elementos do espírito do capitalismo [moderno], mas foi só na ética do protestantismo ascético que ele encontrou um fundamento ético consequente. Sua significação para o desenvolvimento do capitalismo é palpável (WEBER, 2004b, p. 155, grifos do autor).

Assim, a ascese intramundana não apenas "estrangulou o consumo", mas teve o *efeito psicológico* de liberar o enriquecimento

---

capitalismo comercial tradicional. O termo 'capitalismo dos aventureiros' não é usado no capítulo teórico sobre sociologia econômica em *Economia e Sociedade*; e Weber presumivelmente introduziu-o em *A Ética Protestante* de modo a obter um bom contraste com o tipo de capitalismo moral que o Protestantismo ascético ajudou a criar" (SWEDBERG, 1998, p. 121).

daqueles laços que o tradicionalismo exposto no capítulo anterior impunha ao espírito capitalista. Tal como destacado por Swedberg,

> O mecanismo através do qual a adaptação de uma fé religiosa se traduz em comportamentos práticos, sugere ele [Weber], é o seguinte: os benefícios religiosos estabelecem "prêmios psicológicos" sobre tipos específicos de comportamentos e, em determinadas circunstâncias, estes podem então conduzir à formação de "impulsos psicológicos" novos. O comportamento ascético, para usar a terminologia de Weber, é o produto de uma religião que orienta o comportamento prático de tal forma que se produzem impulsos no sentido de um comportamento sistemático e autodenegado (SWEDBERG, 1998, p. 123).

Consequentemente, a partir do desenvolvimento observado na passagem do calvinismo para o puritanismo inglês, a ambição foi não apenas legalizada, mas encarada como algo "diretamente querido por Deus" (WEBER, 2004b, p. 155). Se é verdade que a rejeição da concupiscência da carne trazia consigo uma crítica aos bens exteriores, isso não tinha o significado de uma luta contra o ganho racional, mas contra o uso irracional das posses que afastava as pessoas do trabalho sistemático e duro (WEBER, 2004b, p. 155). Ora, aqui se verifica uma verdadeira oposição à forma ostensiva de luxo "em vez do emprego racional e utilitário da riqueza, querido por Deus, para os fins vitais do indivíduo e da coletividade" (WEBER, 2004b, p. 156).

Estes são os elementos que permitiram a Weber sintetizar os argumentos na ideia de que a ascese "lutou *ao lado da produção da riqueza privada contra a improbidade, da mesma forma que contra a avidez puramente impulsiva*" (WEBER, 2004b, p. 156, grifos do autor). Isto é, afastava-se tanto a cobiça como a ambição de riqueza com o fim último de ser rico, para então legitimar a riqueza como *fruto* do trabalho em uma profissão. Enquanto *efeito* do trabalho profissional sem descanso, continuado, sistemático, o lucro torna-se não apenas um mandamento divino, como já destacado, mas "a alavanca mais poderosa que se pode imaginar da expansão dessa concepção de vida que aqui temos chamado de 'espírito' do capitalismo" (WEBER, 2004b, p. 157). Nas palavras de Swedberg,

> os puritanos introduziram uma moralidade severa e honesta na vida econômica. Eles detestaram a aristocracia pela sua ociosidade e luxos, e desaprovaram profundamente tudo o que se aproximava do capitalismo aventureiro. A hostilidade dos puritanos aos monopólios e ao capitalismo político ajudou indubitavelmente a emergir um tipo de capitalismo competitivo e privado (SWEDBERG, 1998, p. 126).

É exatamente esta linha de raciocínio que nos leva ao "resultado externo evidente", qual seja a "*acumulação de capital* mediante *coerção ascética à poupança*", favorecendo o emprego produtivo do lucro, isto é, "*o investimento* de capital" (WEBER, 2004b, p. 157, grifos do autor), algo resumido por Weber nos seguintes termos:

> Até onde alcançou a potência da concepção puritana de vida, em todos esses casos ela beneficiou – e isso, naturalmente, é muito mais importante que o mero favorecimento da acumulação de capital – a tendência à conduta de vida burguesa economicamente racional; ela foi seu mais essencial, ou melhor, acima de tudo seu único portador consequente. Ela fez a cama para o "homo oeconomicus" moderno (WEBER, 2004b, p. 158).

Devemos observar, no entanto, que este amálgama inicial entre a ascese puritana e o espírito do capitalismo não significou, em hipótese alguma, uma *identidade* entre ambos. Na verdade, o próprio Weber problematiza uma percepção que já era comum, mesmo no século XVII, qual seja, a constatação de que os ideais puritanos não resistiam ao processo de acumulação do capital.

Por isso mesmo, ele faz questão de destacar que o acúmulo de riquezas fazia com que as pessoas cedessem ao enobrecimento *ou* arrebentava a tão defendida disciplina, culminando em incontáveis reformas religiosas. Estas, por sua vez, procuravam, de certo modo, *adaptar* a fundamentação religiosa aos desafios morais impostos pelo capitalismo. E é justamente essa situação que Weber procura retratar ao citar uma passagem de John Wesley:

> Temo: que onde quer que a riqueza tenha aumentado, na mesma medida haja decrescido a essência da religião. Por isso não vejo como seja possível, pela natureza das coisas, que qualquer reavivamento da verdadeira religião possa ser de longa duração. Religião, com efeito, *deve necessariamente gerar*, seja laboriosidade (*industry*), seja frugalidade (*frugality*), e estas não podem originar senão riqueza. Mas se aumenta a riqueza, aumentam também orgulho, ira e amor ao mundo em todas as suas formas. Como haverá de ser possível, então, que o metodismo, isto é, uma religião do coração, por mais que floresça agora feito uma árvore verdejante, continue nesse estado? Os metodistas tornam-se em toda parte laboriosos e frugais; prospera, consequentemente, seu cabedal de bens. Daí crescer neles, na mesma proporção, o orgulho, a ira, a concupiscência da carne, a concupiscência dos olhos e a arrogância na vida. Assim, embora permaneça a forma da religião, o espírito vai

desvanecendo pouco a pouco. Não haverá maneira de impedir essa decadência contínua da religião pura? Não nos é lícito impedir que as pessoas sejam laboriosas e frugais; *temos que exortar todos os cristãos a ganhar tudo quanto puderem, e poupar tudo quanto puderem; e isso na verdade significa: enriquecer* (WEBER, 2004b, p. 159-160, grifos do autor).

Note-se: aqui já se manifesta em toda sua clareza o paradoxo subjacente à referida "cama" que a ética puritana faz para o *homo oeconomicus*: o acúmulo de riquezas faz com que a essência da religião decresça. Mas não só, já que Wesley chega mesmo a falar sobre a *decadência* da religião. Assim, há aqui algo muito mais profundo do que a mera diminuição quantitativa.

Nos termos de uma *degeneração*, a condição subjetiva imposta pelo desenvolvimento do capitalismo – em que prepondera o dinheiro pelo dinheiro, a ganância e o imperativo de acumulação cega e sem freios – implica uma alteração qualitativa de sua fundamentação religiosa inicial. Com toda sua perspicácia, Weber expressou essa ideia ao apontar o movimento que levava a ação social econômica ao *utilitarismo*:

> Aqueles vigorosos movimentos religiosos cuja significação para o desenvolvimento econômico repousava em primeiro lugar em seus efeitos de *educação* para a ascese, só desenvolveram com regularidade toda a sua eficácia *econômica* quando o ápice do entusiasmo *puramente* religioso já havia sido ultrapassado, quando a tensão da busca pelo reino de Deus começou pouco a pouco a se resolver em sóbria virtude profissional, quando a raiz religiosa definhou lentamente e deu lugar à intramundanidade utilitária (WEBER, 2004b, p. 160, grifos do autor).

Como se vê, essas últimas referências não deixam dúvidas de que o aprofundamento do calvinismo pelo puritanismo deixou um *legado* – notadamente, "um *ethos profissional* especificamente burguês" (WEBER, 2004b, p. 161, grifo do autor) – à herdeira concepção utilitária, que tanto caracteriza a sociabilidade e o modo de pensar e agir capitalista.

Mas elas também permitem observar o desacoplamento fatal que já se manifestava entre esses elementos. Como diz Swedberg, uma vez alcançada uma abordagem metódica dos assuntos econômicos, "o capitalismo não precisava mais da ajuda da religião, e hoje o capitalismo racional é um sistema que funciona em grande parte de acordo com a sua própria dinâmica" (SWEDBERG, 1998, p. 126), algo que Riesebrodt procurou captar nos seguintes termos:

> O *ethos* do protestantismo ascético originou sem dúvida uma postura de base religiosa perante a vida. A institucionalização desse *ethos* no capitalismo industrial destruiu, contudo, essa base religiosa e com isso esvaziou de sentido esse *ethos*. (RIESEBRODT, 2012, p. 180).

E é exatamente essa transformação que o próprio Weber procurará destacar. Neste contexto é importante notar que, ao aprofundar aquilo que "a época religiosamente vivaz do século XVII legou à sua herdeira utilitária", Weber também destacou os efeitos da ascese religiosa para a classe trabalhadora. Trabalhadores "sóbrios, conscienciosos, extraordinariamente eficientes e aferrados ao trabalho como se finalidade de sua vida, querida por Deus" (WEBER, 2004b, p. 161) são alguns dos elementos destacados para caracterizar um especial tipo de representação subjetiva que até mesmo legitimava a desigualdade de bens como algo decorrente da vontade divina.

Já sabemos que esta "analogia" entre a predestinação de alguns e a distribuição de bens igualmente injusta também era acompanhada do discurso de que a pobreza seria um sintoma do pecado da preguiça (WEBER, 2004b, p. 272), base a partir da qual se procurou legitimar a teoria da "produtividade" dos baixos salários (WEBER, 2004b, p. 161). Daí os incentivos para que as pessoas aceitassem trabalhos *leais*, ainda que precários, sob o argumento de que essa seria a vontade de Deus. Como destaca Weber,

> *nesse particular* a ascese protestante em si não trouxe nenhuma novidade. Só que: ela não apenas aprofundou ao máximo esse ponto de vista, como fez mais, produziu para essa norma *exclusivamente aquilo que importava* para sua eficácia, isto é, o *estímulo* psicológico, quando concebeu esse trabalho como *vocação* profissional, como o meio ótimo, muitas vezes como o *único* meio, de uma pessoa se certificar do estado de graça. E, por outro lado, legalizou a exploração dessa disposição específica para o trabalho quando interpretou a atividade lucrativa do empresário também. Como "vocação profissional" (WEBER, 2004b, p. 162-163, grifos do autor).

Note-se, no entanto, que esses argumentos procuram trazer elementos para a compreensão da *gênese* do capitalismo, uma situação particularmente distinta do momento em que este já "caminha por si só". Por isso mesmo, Weber enfatiza que a conduta de vida racional fundada na ideia de profissão como vocação, um dos elementos componentes do espírito capitalista, *nasceu* da ascese cristã. Hoje, no entanto, *partir* de um trabalho especializado é um pressuposto comum: "o puritano *queria* ser um profissional – nós *devemos* sê-lo" (WEBER, 2004b, p. 165, grifos do autor).

E com isso compreendemos o argumento de que, na época de seu surgimento, o capitalismo necessitava de trabalhadores que por *dever de consciência* se pusessem à disposição da exploração econômica, algo diferente do momento em que o capitalismo "já está bem assentado e é capaz de impingir a vontade de trabalhar sem oferecer prêmios do Outro Mundo" (WEBER, 2004b, p. 273). Assim,

> a ascese, ao se transferir das celas dos mosteiros para a vida profissional, passou a dominar a moralidade intramundana e assim contribuiu [com sua parte] para edificar esse poderoso cosmos da ordem econômica moderna ligado aos pressupostos técnicos e econômicos da produção pela máquina, que hoje determina com pressão avassaladora o estilo de vida de todos os indivíduos que nascem dentro dessa engrenagem – não só economicamente ativos – e talvez continue a determinar até que cesse de queimar a última porção de combustível fóssil (WEBER, 2004b, p. 165, grifo do autor).

Mais importante ainda, e aqui se encontra o *link* para a discussão, no capítulo 3, dos pilares do neopentecostalismo, Weber salienta a postura de Baxter frente ao progressivo distanciamento entre a fundamentação religiosa da ascese intramundana e o desenvolvimento do capitalismo. Em sua opinião, "o cuidado com os bens exteriores devia pesar sobre os ombros de seu santo apenas 'qual leve manto de que se pudesse despir a qualquer momento'" (WEBER, 2004b, p. 165). No entanto, inversamente à leveza dessa capa, Weber sustenta que a "fatalidade"[58] quis que o manto se transformasse em uma "crosta de aço" – a famosa "jaula de aço", seguindo a tradução de Talcott Parsons:[59]

---

58. A palavra original é *Verhängnis* (WEBER, 2016, p. 171). Na tradução que utilizamos prefere-se o termo "destino".
59. Ao ser questionado por Benjamin Nelson sobre as razões pelas quais traduziu *ein stahlhartes Gehäuse* como "jaula de aço", Parsons respondeu: "Não me lembro

No que a ascese se pôs a transformar o mundo e a produzir no mundo seus efeitos, os bens exteriores deste mundo ganharam poder crescente e por fim irresistível sobre os seres humanos como nunca antes na história. Hoje seu espírito – quem sabe definitivamente? – safou-se dessa crosta. O capitalismo vitorioso, em todo caso, desde quando se apoia em bases mecânicas, não precisa mais desse arrimo (WEBER, 2004b, p. 165).

Veja-se: como resultado da interação social, o capitalismo se apresenta agora como um "invólucro duro como o aço" [*ein stahlhartes Gehäuse*] (WEBER, 2016, p. 171),[60] razão pela qual Weber pondera:

ninguém sabe ainda quem irá viver nesse invólucro no futuro e, se no final deste monstruoso [*ungeheure*] desenvolvimento hão de surgir profetas completamente novos ou um renascimento poderoso de pensamentos e ideais antigos (WEBER, 2016, p. 172).[61]

Ora, é exatamente essa abertura para o futuro que nos interessa, notadamente em virtude da já referida tese de que, enquanto continuadores do *ethos* protestante, os evangélicos poderiam significar

---

claramente como e porquê decidi quando, há mais de 35 anos, estava a traduzir o ensaio de Ética Protestante de Weber para introduzir a frase 'jaula de aço'... Penso que 'jaula de aço' era um caso de tradução bastante livre. [...] A explicação mais provável da minha escolha é que a achei adequada ao contexto puritano do envolvimento pessoal do próprio Weber no problema da Ética Puritana" (SWEDBERG, 1998, p. 262-263).

60. Como vimos, na tradução para o português o termo aparece como "crosta de aço" (WEBER, 2004b, p. 165). Michael Löwy traduz o termo como "habitáculo duro como o aço", no sentido de uma alegoria da civilização europeia industrial para representar a perda da liberdade individual (LÖWY, 2014, p. 29-40).

61. Na tradução que utilizamos ao longo deste livro a passagem se apresenta levemente diferente: "Ninguém sabe ainda quem no futuro vai viver sob essa crosta e, se ao cabo desse desenvolvimento monstro hão de surgir profetas inteiramente novos, ou um vigoroso renascer de velhas. Ideias e antigos ideais" (WEBER, 2004b, p. 166).

uma encarnação desse "espírito". Seriam eles os "novos profetas" de que fala Weber? Acerca do neopentecostalismo, de que modo a teologia da prosperidade e a teologia da dominação se relacionam com o "renascimento de pensamentos e ideais antigos"?

No próximo capítulo, apresentaremos as ideias gerais desses pilares, tendo como pano de fundo a seguinte questão: se, como destacamos, o desenvolvimento do capitalismo desaguou não apenas no acúmulo de riquezas, mas também no acúmulo de paradoxos para com a fundamentação religiosa que lhe servia de base – a passagem de John Wesley é sintomática a esse respeito –, seria possível compreender esse campo específico do setor evangélico como uma *resposta protestante* aos desafios impostos pelo "invólucro duro como aço" em que se transformou o capitalismo, notadamente em sua manifestação financeirizada?

CAPÍTULO 3

NEOPENTECOSTALISMO E O CAPITALISMO FINANCEIRIZADO

CONSIDERAÇÕES PRELIMINARES

No capítulo 2, apresentamos o aprofundamento existente entre o calvinismo e o puritanismo inglês. Se o primeiro tinha na fé e na sistematização do trabalho duro os principais elementos que constituíam o *sinal* da salvação, o segundo agregará a esse *ethos* profissional a compreensão da busca pelo lucro como um *mandamento* de Deus.

Como destacamos, apesar da continuidade subjacente a essa fundamentação religiosa da ascese intramundana, o desenvolvimento do capitalismo fazia emergir uma situação paradoxal para essas filiações protestantes: se é verdade que o puritanismo inglês põe os pressupostos "espirituais" do capitalismo – com notórios efeitos práticos e de psicologia individual, como destacado por Weber –, seu desenvolvimento *negava* cada vez mais aqueles: esta foi a principal mensagem que encontramos ao final de *A ética protestante e o espírito do capitalismo*.

Ocorre que o referido "capitalismo vitorioso" continuou se desenvolvendo, desaguando naquilo que costumeiramente é chamado de "sociedade de consumo", uma observação longe de ser secundária. Ora, diante de uma sociabilização em que a dimensão existencial é cada vez mais amalgamada ao consumismo, com um particular fortalecimento das opções de lazer e entretenimento, como manter uma doutrina religiosa que tem no ascetismo seu eixo de fundamentação?

Tendo como parâmetro o pentecostalismo[62] brasileiro, é de se suspeitar que essa nova condição social trouxesse problemas consideráveis tanto ao pentecostalismo clássico (1910-1950) como ao deuteropentecostalismo (1950-1970). Se o primeiro tinha no comportamento de sectarismo radical e ascetismo de rejeição do mundo exterior uma de suas características, o segundo, apesar de enfatizar o dom da cura divina em vez do dom de línguas,[63] "mantém o núcleo teológico do pentecostalismo clássico" (MARIANO, 2014, p. 32). Daí o argumento de que o neopentecostalismo significou uma verdadeira "acomodação", significativamente menos sectária e, acima de tudo, "em franco processo de 'mundialização'" (MARIANO, 2014, p. 45). Trata-se, assim, de uma

---

62. Acerca da relação entre pentecostalismo e protestantismo, é interessante atentar para o seguinte: "referindo-se à história mundial do protestantismo, David Martin distingue três grandes ondas: a puritana, a metodista e a pentecostal. A façanha desta última, para ele, foi ter atravessado a fronteira dos mundos anglo e hispânico em larga escala" (MARIANO, 2014, p. 28).
63. Segundo Mariano, o dom de falar línguas estranhas "remete ao episódio bíblico de Pentecostes, relatado em Atos 2, em que o Espírito Santo, no quinquagésimo dia da ressureição de Cristo, teria se manifestado aos apóstolos por meio de línguas de fogo" (MARIANO, 2014, p. 10).

situação bem diversa do pentecostalismo clássico e do deuteropentecostalismo, em grande parte presos ao fardo do tradicionalismo teológico, litúrgico, estético e evangelístico desta religião *outsider* em solo nacional. Note-se que a própria filiação religiosa vivida conscientemente para atingir fins terrenos já atesta o menor sectarismo e ascetismo dos neopentecostais. E é neste sentido que se compreende por que o Diabo é tão veementemente combatido por eles. Considerado exterminador de riquezas [...] e causador de todos os males, a antítese divina constitui o principal obstáculo a ser superado para que as graças de Deus possam recair sobre os fiéis, satisfazendo seus interesses estritamente mundanos. Sem culpas, sem rodeios ou escamoteações, esses crentes estão legitimamente interessados em bem viver a vida (MARIANO, 2014, p. 45).

Ora, essa "diversidade" já é um bom indicativo da resposta à problemática que vem nos acompanhando neste livro. Como salientamos anteriormente, a teologia da prosperidade poderia ser o exemplo perfeito para a associação entre sucesso econômico e neopentecostalismo. E uma vez que este constitui um desenvolvimento do campo protestante, isso poderia significar uma linha de continuidade entre a já mencionada "terceira onda" pentecostal e a ascese intramundana cuja fundamentação religiosa expusemos nas páginas anteriores. Na realidade, a situação é não apenas diferente, mas *contrária*. Como destaca Ricardo Muniz, "o que se vive no neopentecostalismo da teologia da prosperidade é pós-protestante em mais de um aspecto. Um deles é a base ideológica para a vida econômica cotidiana" (MUNIZ, 2000).

Por isso mesmo, é fundamental atentar, para o seguinte, ainda que brevemente: essa cotidianidade remete àquilo que se consolidou *simultaneamente* à terceira onda pentecostal (iniciada em 1970), o chamado "neoliberalismo", isto é, aquele tipo de formatação social tão criticado pelo papa Francisco por se *descolar* da referida "economia real". Ora, é certo que o "rótulo neoliberal" marca a adesão de economistas como Friedrich von Hayek, Ludwig von Mises e Milton Friedman aos princípios de livre mercado da economia neoclássica defendidos por William Stanley Jevons, Carl Menger, Léon Walras e Alfred Marshall (HARVEY, 2014, p. 30).[64]

No entanto, na vasta literatura sobre o tema, essa modalidade do capitalismo é comumente analisada a partir da transição do "regime de produção fordista" para o "regime de acumulação flexível". Aqui se manifesta um movimento da seguinte ordem: de um modelo baseado no rígido controle e organização sobre o trabalho industrial, que tinha como contraparte não só uma política de aumento salarial (possibilitando via consumo em massa a sustentação da produção em massa), mas também a garantia de acesso da classe trabalhadora a bens de consumo duráveis e serviços públicos,[65] para um modelo em que se observam práticas mais flexíveis do mercado de trabalho e do emprego,[66] constantes

---

64. A escola neoclássica foi responsável pela Revolução Marginalista, que "procurou subverter os alicerces da economia política, abandonando a investigação sobre as leis do movimento do capitalismo, para postular as condições de equilíbrio no processo de troca. O ataque marginalista incidiu, desde logo, sobre a teoria do valor-trabalho, que explicava a forma-valor dos produtos a partir das relações entre produtores independentes, para se fixar no conceito de *utilidade*, que realça as relações entre os indivíduos e bens escassos" (BELLUZO, 2009, p. 38, grifo do autor).
65. Trata-se do famoso "compromisso de classe" entre capital e trabalho, tão sonhado pelos papas Leão XIII e Pio XI, algo típico do chamado "novo liberalismo" (liberal-socialismo) ou "liberalismo embutido". Uma análise da construção desses arranjos nos Estados Unidos e na Suécia pode ser encontrado em Blyth (2002, p. 49-125).
66. Não por acaso, Boltanski e Chiapello salientam os reflexos subjetivos dessa flexibilidade no "mundo conexionista", isto é, o mundo caracterizado pelas redes:

transformações no âmbito da automação e inovação de produtos, um extenso período de desindustrialização – característico, por exemplo, de Detroit, mas também do Brasil de modo geral – e transferência geográfica de fábricas (HARVEY, 2014, p. 179), bem como a intensificação do papel das novas tecnologias de informação para o incremento da produtividade do trabalho e a integração dos mercados financeiros em escala global.

Essa passagem fica ainda mais clara quando atentamos para a deterioração das economias capitalistas avançadas a partir da década de 1970 (BRENNER, 2006, p. 6), algo intimamente relacionado à "financeirização da economia", um tema que, como vimos, está particularmente presente nas encíclicas *Evangelii Gaudium* e *Laudato Si*. Apesar das inúmeras matrizes teóricas que buscam compreender esse fenômeno e sua atual configuração enquanto "crise sistêmica" (GUTTMANN, 2008, p. 12) – seja a finança compreendida como um setor da economia, um conjunto de mecanismos ou uma lógica particular de funcionamento (BRUNHOFF, 2010, p. 23) –, importa destacar a distinção comumente encontrada entre um "capitalismo produtivo" e um "capitalismo especulativo". É o fortalecimento deste que destituiria a chamada "economia real" de seus recursos, culminando na "tendência de dominação

---

"para ajustar-se a um mundo conexionista, é preciso mostrar-se suficientemente *maleável* para passar por universos diferentes mudando de propriedades. (...) A adaptabilidade, ou seja, a capacidade de tratar sua própria pessoa como um texto que poderia ser traduzido para diferentes línguas, constitui uma exigência fundamental para circular nas redes garantindo a passagem através da heterogeneidade de um ser definido minimamente por um corpo e por um nome próprio a ele vinculado. Considerada do ponto de vista desse novo modelo de existência, a permanência, sobretudo a permanência de si mesmo ou o apego duradouro a 'valores', é criticável como rigidez inconveniente e até patológica e, segundo os contextos, como ineficiência, impolidez, intolerância, incapacidade para comunicar-se" (BOLTANSKI; CHIAPELLO, 2009, p. 466, grifo do autor).

geral dos sistemas especulativos sobre os sistemas produtivos" (DOWBOR, 2017, p. 49).

E qual seria a principal consequência disso? Extravasando suas funções, o setor financeiro teria sido apropriado "por corporações financeiras que os usam para especular em vez de investir" (DOWBOR, 2017, p. 32). Assim, as finanças passariam a usar e drenar o sistema produtivo, fazendo emergir uma espécie de *capitalismo cassino* que teria imposto a lógica de especulação e ganhos rápidos não só ao setor industrial, mas à sociedade como um todo. Daí o argumento de que o fortalecimento e a expansão das finanças são apontados como um desregramento da economia, uma distorção que extrai os recursos da sociedade em detrimento do "comum" e da "produtividade real".[67] A intermediação financeira, longe de cumprir seus alegados objetivos iniciais de financiar o investimento e o crescimento econômico – como no clássico exemplo da industrialização alemã (GERSCHENKRON, 2015, p. 76) – teria passado a se destinar aos ganhos improdutivos do 1% mais rico do mundo.

É nesse contexto em que foi até mesmo veiculada a necessidade de se separar analiticamente a renda, decorrente de investimentos produtivos, da "renta", oriunda de recursos obtidos sem a contribuição produtiva. Essa seria uma distinção importante para se vislumbrarem as medidas necessárias tendentes a "resgatar e rees-

---

67. Em *O Minotauro global*, Yanis Varoufakis apresenta a seguinte definição de "financeirização": "processo de aumento do protagonismo do sistema financeiro, o que consiste basicamente no aumento do poder e da importância de bancos e instituições afins na gestão e geração de riqueza nas economias capitalistas. A partir daí a renda (em sentido estrito, isto é, o ganho sobre a escassez, a priori de dinheiro, mas também de imóveis, títulos etc.) passa a preponderar sobre a forma de riqueza produzida a partir da exploração do Trabalho e da Produção (isto é, o lucro)" (VAROUFAKIS, 2016, p. 7).

truturar o sistema de regulação para que o sistema financeiro sirva a economia e não dela se sirva apenas" (DOWBOR, 2017, p. 156).

Note-se, no entanto, que isso não significa que uma bolsa de valores seja *per se* especulativa, como se essa configuração manifestasse uma essência natural. Ora, essa é uma temática que o próprio Weber abordou – ainda que brevemente – em seu livreto *A bolsa*, cujo conteúdo remete a dois textos escritos entre 1894 e 1896. Nele, Weber ressalta que

> a existência de juros e de dividendos, em si mesma, não é mais do que uma consequência da moderna economia de mercado, assente na particularidade de cada um viver continuadamente do produto do trabalho dos outros e de ele próprio trabalhar para a satisfação das necessidades de outrem (WEBER, 2004a, p. 80).

Daí a importância de se afastar uma crítica meramente moralista, tendo como intuito desvendar os mecanismos sociais subjacentes à dominação financeira. De todo modo, é exatamente a partir dessas alterações que também se desenvolveu o "sujeito neoliberal", um verdadeiro "dispositivo de desempenho e gozo" (DARDOT; LAVAL, 2016, p. 321):

> Se existe um novo sujeito, ele deve ser distinguido nas práticas discursivas e institucionais que, no fim do século XX, engendraram a figura do homem-empresa ou do "sujeito empresarial", favorecendo a instauração de uma rede de sanções, estímulos e comprometimentos que tem o efeito de produzir funcionamentos psíquicos de um novo tipo. [...] O homem benthamiano era *calculador* do mercado e o homem *produtivo* das organizações industriais. O homem neoliberal é

o homem *competitivo*, inteiramente imerso na competição mundial (DARDOT; LAVAL, 2016, p. 322, grifos dos autores).

Para os propósitos deste último capítulo, o que realmente nos interessa é destacar como a cultura dos "sujeitos empreendedores" culmina em um *ethos* da autovalorização. Na contramão da sistematização do trabalho duro e contínuo que caracteriza a fundamentação religiosa da ascese intramundana, o capitalismo passa a exigir uma verdadeira "racionalização do desejo" (DARDOT; LAVAL, 2016, p. 333). Tal como destacado pelos autores franceses, isso está longe de significar um mero engodo, uma usurpação.

Consequentemente, o que temos diante de nós é "a ética do nosso tempo" que exalta "o homem que faz a si mesmo". Isso significa que "a ética da empresa tem um teor mais guerreiro: exalta o combate, a força, o vigor e o sucesso" (DARDOT; LAVAL, 2016, p. 333). Ora, pode-se até dizer que o *meio* para alcançar isso continua sendo o trabalho? Sim, mas desde que se atente para o fato de que o trabalho profissional é visto, ao contrário dos calvinistas e puritanos, como um "veículo privilegiado da *realização pessoal*" (DARDOT; LAVAL, 2016, p. 333, grifo nosso). Assim, essa ética

> é profundamente distinta até da ética do trabalho que marcou o protestantismo dos primórdios – embora aparentemente incite o sujeito a uma autoinquisição permanente e a um "controle sistemático de si mesmo", ela não vê mais o sucesso no trabalho como o "sinal da eleição divina" que supostamente dá ao sujeito a certeza de sua salvação [ocasião em que os autores citam *A ética protestante e o espírito do capitalismo*]. Se aqui o trabalho se torna espaço de liberdade, isso só acontece se o indivíduo souber ultrapassar o estatuto passivo do assalariado de antigamente, isto é, se ele se tornar uma empresa de si

mesmo. O grande princípio dessa nova ética do trabalho é a ideia de que a conjunção entre as aspirações individuais e os objetivos de excelência da empresa, entre o projeto pessoal e o projeto da empresa, somente é possível se cada indivíduo se tornar uma pequena empresa (DARDOT; LAVAL, 2016, p. 334).

Veja-se: uma vez que a "ética do trabalho" se constitui como algo *radicalmente* distinto das considerações que apresentamos no capítulo anterior, o mesmo ocorre com o significado de "ascese", sugestivamente qualificada como "ascese do desempenho".[68] Se isso leva ao aprofundamento, como nunca antes visto, da ideia de responsabilidade individual, aqui também se manifesta de modo cristalino como o sujeito neoliberal "não é mais apenas o do circuito produção/poupança/consumo, típico de um período consumado do capitalismo" (DARDOT; LAVAL, 2016, p. 355). Daí o argumento de que o antigo modelo industrial – "o ascetismo puritano do trabalho, a satisfação do consumo e a esperança de um gozo tranquilo dos bens acumulados" – dá lugar ao "novo sujeito que produz 'sempre mais' e 'goze sempre mais'"[69] (DARDOT; LAVAL, 2016, p. 355).

---

68. Isso significa que "diferentes técnicas, como *coaching*, programação neurolinguística, análise transacional e múltiplos procedimentos ligados a uma 'escola' ou um 'guru' visam a um melhor 'domínio de si mesmo', das emoções, do estresse, das relações com clientes ou colaboradores, chefes ou subordinados" (DARDOT; LAVAL, 2016, p. 339).
69. Há na literatura vastíssima discussão sobre essa temática, habilmente tematizada por Boltanski e Chiapello nos termos de um "novo espírito do capitalismo". Salientando que o espírito do capitalismo é *"a ideologia que justifica o engajamento no capitalismo"* (BOLTANSKI; CHIAPELLO, 2009, p. 39, grifos dos autores), os autores apresentam a emergência de uma nova configuração ideológica no âmbito do neoliberalismo. No plano moral, existiria neste contexto uma mudança no modo de se relacionar com o dinheiro e o trabalho. Assim, "o homem conexionista é proprietário de si mesmo, não segundo um direito natural, mas no sentido de ser produto de seu próprio trabalho sobre si mesmo" (BOLTANSKI; CHIAPELLO, 2009, p. 192).

Todas essas considerações demonstram as profundas alterações pelas quais passaram tanto o capitalismo como os sistemas normativos a ele subjacentes. No âmbito da problemática que nos interessa, os argumentos levantados nos parágrafos anteriores são suficientes para percebermos como o "despotismo financeiro"[70] exacerba os "paradoxos" que John Wesley já percebia. Cumpre, então, analisar de que modo os pilares do neopentecostalismo se conectam com a hodierna manifestação financeira do "invólucro duro como aço".

A TEOLOGIA DA PROSPERIDADE

Parece-nos oportuno iniciar o estudo da teologia da prosperidade a partir de uma nota de rodapé de *A ética protestante e o espírito do capitalismo*. Após salientar a relação entre a ética do protestantismo ascético e o desenvolvimento do capitalismo, Weber enfatiza que o princípio ascético "deves renunciar, renunciar deves" é *transposto* para a fórmula capitalista "deves lucrar, lucrar deves", "que em sua irracionalidade desponta pura e simplesmente feito imperativo categórico" (WEBER, 2004b, p. 267). No entanto, o sociólogo alemão faz a seguinte ressalva:

> Só a glória de Deus e o dever pessoal, não a vaidade pessoal, constituem para os puritanos motivo, *hoje* porém: *somente* o dever a cumprir a "profissão". Quem se diverte em esclarecer uma ideia seguindo-a até suas últimas consequências, lembre-se daquela teoria de certos milionários americanos segundo a qual *não* se deve deixar para os filhos os milhões adquiridos

---

70. Utilizamos o termo pensando no "despotismo econômico" retratado pelo papa Pio XI, conforme argumentação que apresentamos no capítulo 1.

só para não privá-los do benefício moral que só a obrigação de trabalhar e lucrar por sua própria conta e risco pode dar: *hoje*, evidentemente, isso não passa de uma bolha de sabão "teórica" (WEBER, 2004b, p. 267, grifos do autor).

Essa metáfora da "bolha de sabão teórica" é um bom modo de iniciarmos as reflexões subjacentes à temática aqui apresentada. De certo modo, ela permite a discussão do processo de *evolução* e *adequação* social das doutrinas religiosas. No capítulo 2, verificamos como os valores religiosos – no movimento que vai do calvinismo para o puritanismo – influenciam o comportamento dos indivíduos sociais. Mas não só, já que, a partir da perspectiva weberiana, esses comportamentos tanto alteram a forma de relacionamento pessoal com o trabalho e com o lucro como contribuem para transformar a ação coletiva referente aos assuntos econômicos.

Isso significa que em Weber se manifesta uma teoria social que trabalha com os níveis macro e micro de abstração (COLEMAN, 1986, p. 1322). Mas há ainda um movimento posterior, que faz com que essa sociabilidade se apresente agora como "capitalismo vitorioso", o neoliberalismo a que nos referimos há pouco que, por sua vez, tem *ressonância* nas representações religiosas e, consequentemente, no agir cotidiano. E é esta linha de reflexão a partir da qual gostaríamos de apresentar a seguinte passagem:

> Até bem pouco tempo atrás uma fatia respeitável da igreja cristã empurrava todas as bem-aventuranças para o céu e para a eternidade. Dizia-se então que era necessário suportar pacientemente o sofrimento presente [...]. A Teologia da Prosperidade está trazendo o celeste porvir para o terrestre presente. Para comermos a melhor comida, para vestirmos as melhores roupas, para dirigir os melhores carros, para termos o melhor

de todas as coisas, para adquirir muitas riquezas, para não adoecermos nunca, para não sofrer qualquer acidente, para morrermos entre 70 e 80 anos, para experimentarmos uma morte suave – basta crer no coração e decretar em voz alta a posse de tudo. Basta usar o nome de Jesus com a mesma liberdade com que usamos nosso talão de cheques (*Ultimato*, março/1994, apud MARIANO, 2014, p. 147).

Veja-se: no movimento de presentificação do celeste, aquilo que conta é exatamente o oposto da fundamentação religiosa da ascese intramundana apresentada anteriormente, tão refratária do uso que se faz da riqueza. Nessa passagem particularmente afeita ao já referido "sujeito neoliberal", o que se verifica é não só o aceite, mas a própria *defesa* da ostentação e dos prazeres materiais como o cerne de um modo de vida que está muito distante da tradicional concepção católica, notadamente quando se recorda da comparação da impossibilidade do rico entrar no reino dos céus com a do camelo atravessar o buraco de uma agulha. Como se vê, trata-se do referido processo de adaptação religiosa à sociedade de consumo.[71]

Não por acaso, Freston sustenta que a teologia da prosperidade[72] "é uma das alternativas pentecostais diante dos bens mate-

---

71. Mariano sintetiza esse processo nos seguintes termos: "diante da mobilidade social de parte dos fiéis, das promessas da sociedade de consumo, dos serviços de crédito ao consumidor, dos sedutores apelos do mundo da moda, do lazer e das opções de entretenimento criadas pela indústria cultural, essa religião [pentecostal] ou se mantinha sectária e ascética [como no pentecostalismo clássico], aumentando sua defasagem em relação à sociedade e aos interesses ideais e materiais dos crentes, ou fazia concessões. [...] O sectarismo e o ascetismo cederam lugar à acomodação ao mundo" (MARIANO, 2014, p. 148).

72. Sua origem remete à década de 1940, nos EUA, sob a liderança de Kenneth Hagin (1917-2003), que se inspirou nos escritos de Essek William Kenyon (1867-1948). Este, por sua vez, foi profundamente influenciado pela filosofia do "novo pensamento" – que abordaremos em breve –, tal como formulada por Phineas

riais" (FRESTON, 1993, p. 105). Mas não só. Como destaca Steve Bruce, o ascetismo intramundano – tão bem caracterizado nas reflexões anteriores sobre o calvinismo e o puritanismo inglês – "se encaixa melhor com os interesses materiais de uma classe social que tenha a oportunidade de ascender pela diligência" (BRUCE, 1990 apud FRESTON, 1993, p. 105). Daí o argumento de Mariano de que era necessário substituir as concepções teológicas "que diziam que os verdadeiros cristãos seriam, senão materialmente pobres, ao menos desinteressados de coisas e valores terrenos" (MARIANO, 2014, p. 149). Ora, é exatamente este o principal trunfo da teologia da prosperidade:

> Essa doutrina, reinterpretando ensinos e mandamentos do Evangelho, encaixou-se como uma luva tanto para a demanda imediatista de resolução final de problemas financeiros e de satisfação de desejos de consumo dos fiéis mais pobres, a grande maioria, como para a demanda (infinitamente menor) dos que almejavam legitimar seu modo de vida, sua fortuna e felicidade (MARIANO, 2014, p. 149).

É importante notar, no entanto, que na passagem do *Ultimato* também se manifesta um elemento novo. É verdade que a ideia de "basta crer no coração" tem sua relação com a premissa da fé inabalável, já abordada por Calvino. No entanto, o trecho citado também invoca o argumento de que basta "decretar em voz alta a posse de tudo". Afinal, qual seria o significado disso?

Quimby (1802-1866). Segundo Mariano, "Kenyon nunca pregou nem escreveu sobre prosperidade. Dele, Hagin aprendeu ensinos apenas sobre cura divina e Confissão Positiva. Foi o televangelista Oral Roberts quem criou a noção de 'Vida Abundante' e deu início à pregação da doutrina da prosperidade, prometendo retorno financeiro sete vezes maior que o ofertado" (MARIANO, 2014, p. 152).

O contrato com Deus

A melhor forma de iniciar a resposta à pergunta anterior é atentarmos para as palavras dos pastores R. R. Soares e Manuel:

> Somos hoje exatamente aquilo que algum tempo atrás conscientemente ou inconscientemente havíamos declarado que seríamos, e que seremos no futuro próximo tudo que agora estamos declarando. [...] São as nossas palavras que nos governam, que nos dão saúde, paz, prosperidade e felicidade. São também as nossas palavras que nos fazem derrotados, doentes e miseráveis [...], só conseguiremos aquilo que falarmos (SOARES; MANUEL, apud MARIANO, 2014, p. 154).[73]

Decretar é, naturalmente, muito distinto de *rogar*, ou mesmo *suplicar*, uma alteração que só pode ser compreendida quando atentamos para um tipo de relação bastante peculiar existente entre Deus e os cristãos. Tal como num *contrato* de compra e venda de mercadorias, aquele que decreta está em *condições* que permitem essa exigência, isto é, ele pode *exigir, reivindicar* algo, notadamente saúde, prosperidade etc.

Ora, mas isso significa que ambas as partes devem possuir alguma identidade, algo que as torne comuns. Se no âmbito das relações comerciais esse pressuposto é construído pela noção de igualdade jurídica – dois sujeitos que entram em acordo pela livre disposição da vontade –, na relação religiosa aqui destacada pressupõe-se uma *mesma natureza* entre seus polos:

---

[73]. Em 1992, o pastor Manuel já destacava: "orar é determinar resultados. [...] Nós determinamos aquilo que queremos que aconteça em nome de Jesus, que Ele assim o fará [...]. Tudo aquilo que você determinar com confiança, com fé, em nome de Jesus, será realizado. A enfermidade, a miséria, tudo será solucionado por Deus" (MANUEL, 1992 apud MARIANO, 2014, p. 154-155).

"Quando o homem nasce de novo ele toma sobre si a natureza divina e torna-se, não semelhante, mas igual, exatamente igual em natureza com Deus. A única diferença entre o homem e Deus torna-se a magnitude, Deus é infinitamente divino e nós ainda finitamente divinos. O crente é uma encarnação de Deus exatamente como é Jesus de Nazaré", defende Kenneth Hagin [...] "Você não tem Deus morando dentro de você. Você é Deus", afirma Kenneth Copeland (MARIANO, 2014, p. 155).[74]

Consequentemente, é a ideia de "mesma natureza de Deus" que, garantindo uma relação de igualdade entre as partes, permitirá ao cristão – a "encarnação de Deus", Deus "com letra minúscula" – *decretar* sua vontade. Mas isso por si só não explica o sentido subjacente a essa *modalidade* de reivindicação. Se com os argumentos anteriores foi possível verificar a base a partir da qual são feitas as exigências a Deus, agora podemos avançar na compreensão da novidade referida.

Como vimos, o decreto a que Deus deve obediência é qualificado como algo "dito em voz alta". Aqui entra em cena a ideia de "confissão positiva", que diz respeito à crença de que os cristãos possuem o poder de dar existência, isto é, de criar realidade, a tudo aquilo que é *declarado* em voz alta. Se Deus havia criado o universo pela palavra – interpretação extraída do livro de Gênesis –, "o que é falado torna-se divinamente inspirado" (MARIANO, 2014, p. 153). Consequentemente, Deus estaria impelido a agir quando "despertado" pelas palavras proferidas com fé, sendo este o elemento primordial para alcançar as bênçãos divinas.

---

74. Em um exemplo possivelmente ainda mais sintomático, Miguel Ângelo sustentava, já em 1991: "tu és filho de um pai. E se tu és filho de um pai, tu tens as mesmas características e qualidades deste pai. [...] Fomos feitos um pouco menores que Deus. [...] Tu és Deus, com letra minúscula" (MARIANO, 2014, p. 155).

Note-se: é a partir dessa linha de raciocínio – bastante próxima da filosofia do "novo pensamento" [New Thought][75] – que se constrói um "círculo fechado", em que "a afirmação da cura é a necessária antecipação do estado desejado" (FRESTON, 1993, p. 105). Possuindo fé, o cristão pode possuir *tudo* o que determinarem verbalmente, efetivando os "direitos" anunciados na Bíblia.

Como afirma o pastor R. R. Soares, "direito não reclamado é direito não existente" (SOARES, 1996 apud MARIANO, 2014, p. 156). Se "o plano de Deus para o homem é fazê-lo feliz, abençoado, saudável e próspero em tudo" (SOARES, 1996 apud MARIANO, 2014, p. 157), então se compreende que estamos muito distantes dos discursos religiosos – presentes tanto no catolicismo, como no calvinismo e no puritanismo – que apontam para a redenção *após* a morte.[76] Daí o argumento apresentado por Mariano:

> Essa teologia está operando e promovendo forte inversão de valores no sistema axiológico pentecostal. [...] em vez de valorizar temas bíblicos tradicionais de martírio, auto-sacrifício, isto é, a "mensagem da cruz" – que apregoa o ascetismo

---

75. Mariano explora essa semelhança em uma importante nota de rodapé: "'A Teologia da Prosperidade' prega que o crente pode alterar realidades por meio da palavra proferida com fé. Já o *New Thought*, fonte de inspiração dessa teologia, promete o mesmo, mas põe o pensamento no lugar da palavra. Segundo Wilson, 'era um lugar comum das obras do Novo Pensamento assinalar que os homens criavam a riqueza, a saúde e a felicidade mediante a prática de uma higiene mental. Mediante o pensamento, os homens manipulariam suas próprias circunstâncias e o mundo'. Essa crença parece estar na raiz de parte da literatura esotérica e de auto-ajuda que invadiu os EUA, a Europa e o Brasil nas últimas décadas" (MARIANO, 2014, p. 153).

76. Vale a pena atentar aqui para a seguinte reflexão de Dardot e Laval: "enquanto no velho capitalismo todo mundo perdia alguma coisa (o capitalista perdia o gozo garantido de seus bens pelo risco assumido, e o proletário, a livre disposição de seu tempo e força), no novo capitalismo ninguém perde, todos ganham" (DARDOT; LAVAL, 2016, p. 373).

(negação dos prazeres da carne e das coisas deste mundo) e a perseverança dos justos no caminho estreito da salvação, apesar do sofrimento, das injustiças e perseguições promovidas pelos ímpios contra os servos de Deus –, a Teologia da Prosperidade valoriza a fé em Deus como *meio* de obter saúde, riqueza, felicidade, sucesso e poder terrenos. Em vez de glorificar o sofrimento, tema tradicional no cristianismo, mas definitivamente fora de moda, enaltece o bem-estar do cristão neste mundo (MARIANO, 2014, p. 158, grifo do autor).

Assim, está longe de ser mera casualidade que a teologia da prosperidade compreenda a pobreza como falta de fé ou ignorância. Como destaca Freston, aqui se operacionaliza um "princípio de prosperidade" bastante específico. Se ele pode ser compreendido a partir da ideia de "doação financeira", isso não significa, em hipótese alguma, qualquer aproximação à temática das "boas obras". Seu sentido é, na verdade, aquele que perpassa a compra e venda de ações em toda e qualquer bolsa de valores: o *investimento*. "Devemos dar a Deus *para que* ele nos devolva com lucro" (FRESTON, 1993, p. 105, grifo do autor).

A troca com Deus

A lógica contratual exposta nas páginas anteriores constitui uma das principais características da teologia da prosperidade. É ela que, movimentada pela confissão positiva, culmina na ideia de que Deus *quer* e *fará* com que todos sejam prósperos. No entanto, para que isso efetivamente se manifeste não basta que o cristão decrete em voz alta seus direitos. Se é dando que se recebe, com isso se compreende o papel fundamental atribuído ao *dízimo*. Nas palavras de Robson Rodovalho,

Deus não precisa de nosso dinheiro, porque dele é a prata e o ouro. Mas Ele precisa que nós o obedeçamos, para que possa nos abençoar. Há uma íntima relação entre dar e receber. Quanto mais damos, mais recebemos (RODOVALHO, s.d. apud MARIANO, 2014, p. 160).

Mas engana-se quem vê nisso apenas charlatanismo. Na verdade, o "dízimo" é o componente sem o qual não pode haver sociedade *com* Deus. Ora, toda e qualquer teoria da sociedade precisa responder à pergunta "como é possível a ordem social?" E é exatamente isso que devemos analisar nesta seção. Se o pagamento do dízimo "existe desde a criação do homem" (SOARES, 1985 apud MARIANO, 2014, p. 161), ele é a manifestação da própria *sociabilização* neopentecostal, tão bem retratada por Edir Macedo nos seguintes termos:

> Ele [Jesus] desfez as barreiras que havia entre você e Deus e agora diz – volte para casa, para o jardim da Abundância para o qual você foi criado e viva da Vida Abundante que Deus amorosamente deseja para você. [...] Deus deseja ser nosso sócio. [...] As bases da nossa sociedade com Deus são as seguintes: o que nos pertence (nossa vida, nossa força, nosso dinheiro) passa a pertencer a Deus; e o que é d'Ele (as bênçãos, a paz, a felicidade, a alegria, e tudo de bom) passa a nos pertencer (MACEDO, 1999 apud MARIANO, 2014, p. 161).

Se Jesus desfez as barreiras entre os cristãos e Deus, isso ocorreu porque ele foi enviado à Terra para expiar o pecado original cometido por Adão e Eva, isto é, para *restaurar* o laço social existente entre Deus e as criaturas humanas. Mas a expiação – e esta é uma inovação pentecostal – não ocorreu com o sangue de Jesus derramado na cruz, mas apenas após sua morte, quando derrotou o Diabo em seu próprio solo. Assim, "foram necessários o sacrifício de Jesus na cruz e sua vitória sobre o Diabo no próprio inferno para o restabelecimento dessa sociedade". Ora, os homens só entram nessa sociedade "se cumprirem sua parte no contrato firmado na Bíblia com Deus, isto é, se pagarem fielmente o dízimo" (MARIANO, 2014, p. 161).

Isso significa que o crente não é apenas um "sujeito neoliberal", um "empreendedor de si mesmo", tal como destacamos algumas páginas atrás. Na verdade, ele é sempre alguém em sociedade com Deus, e principalmente no sentido *econômico*. Trata-se, assim, de uma verdadeira *sociedade empresarial*, apresentada por Soares da seguinte maneira:

> O negócio que Deus nos propõe é simples e muito fácil: damos a Ele, por intermédio da Sua Igreja, dez por cento do que ganhamos e, em troca, recebemos d'Ele bênçãos sem medida. [...] Quando damos nossas ofertas para a obra de Deus, estamos nos associando a Ele em seus propósitos. É maravilhoso saber que Deus deseja ser nosso sócio e que podemos ser sócios de Deus em sua missão de salvar o mundo (SOARES, 1985 apud MARIANO, 2014, p. 161).

Com isso se compreende os *deveres* das partes: de um lado, os cristãos, que devem pagar o dízimo; do outro, Deus, que deve cumprir com o prometido,[77] desde que satisfeitas as condições contratuais. Por isso mesmo, aqui se manifesta não uma ética do

---

[77] Tal como destacado por Macedo no jornal *Folha de S.Paulo*, "nós ensinamos as pessoas a cobrar de Deus aquilo que está escrito. Se Ele não responder, a pessoa tem de exigir, bater o pé, dizer 'tou aqui, tou precisando'" (MACEDO, 1991 apud MARIANO, 2014, p. 162).

trabalho, mas uma ética empresarial,[78] que tem na ação do fiel seu mecanismo ativo.

É ele que, mediante o dízimo ou as ofertas,[79] estabelece um *input*, sem o qual não há qualquer *output* divino. Não por acaso, em 1985, o mesmo Soares já sustentava que as pessoas deveriam estar preparadas para dar, deixando a mesquinhez de lado. Se isso nos deixaria prontos para dar, é a ausência dessa disposição que fazia a maioria das pessoas pobres (MARIANO, 2014, p. 169).

De todo modo, uma vez cumpridos todos os requisitos, caberia ao fiel *cobrar* o "capital" prometido por Deus. Tratar-se-ia, então, de enfatizar a responsabilidade societária previamente estipulada, uma *norma* em uma sociedade "que não precisa mais de Deus para se legitimar, se manter coesa, se governar e dar sentido à vida social, mas que, no âmbito dos indivíduos, consome e paga pelos serviços prestados em nome dele" (PIERUCCI, 2012), algo cuja mais cristalina manifestação pode ser encontrada nas palavras de Macedo:

> Comece hoje, agora mesmo, a cobrar dele tudo aquilo que Ele tem prometido [...]. O ditado popular de que "promessa é dívida" se aplica também para Deus. Tudo aquilo que Ele promete na Sua Palavra é uma dívida que tem para com você. [...] Quando pagamos o dízimo a Deus, Ele fica na obrigação (porque prometeu) de cumprir a Sua Palavra. [...] Quem é que tem o direito de provar a Deus, de cobrar d'Ele aquilo que

---

78. Como destaca Mariano, nos cultos da Igreja Universal do Reino de Deus, os fiéis "são aconselhados a deixar de ser meros empregados. Recebem incentivos para abrir negócios e se tornar patrões" (MARIANO, 2014, p. 163).
79. Segundo Macedo, "a Bíblia tem mais de 640 vezes escrita a palavra oferta. Oferta é uma expressão de fé. Se Deus não honrar o que falou há três ou quatro mil anos atrás, eu é que vou ficar mal" (MACEDO, 1990 apud MARIANO, 2014, p. 165). Diferentemente do dízimo, geralmente fixo, nas ofertas observam-se as mais variadas inovações de arrecadamento, razão pela qual são criticadas enquanto "supermercados da fé" (MARIANO, 2014, p. 168).

prometeu? O dizimista! (MACEDO, 1990 apud MARIANO, 2014, p. 162).

Note-se bem: esses dispositivos derivados da teologia da prosperidade não se amoldam ao discurso da sistematização do trabalho duro, tão característico do calvinismo e do puritanismo. Pelo contrário, ao enfatizar a posição de empresários, em detrimento da autocompreensão enquanto empregados, essa doutrina fomenta uma *disposição comportamental ao risco*.

Uma verdadeira loucura para o ideal do *homem racional*, o fiel deve "desafiar" Deus com suas ofertas, tornando-se um verdadeiro *credor*, que acredita ter na providência divina um investimento não apenas seguro – afinal, Deus não pode deixar de honrar suas promessas – como extremamente rentável.[80] Por isso mesmo, o conteúdo daquilo que se oferece possui mais valor à medida que é mais arriscado. Assim,

> É necessário dar o que não se pode dar. O dinheiro que se guarda na poupança para um sonho futuro, esse dinheiro é que tem importância porque o que é dado por não fazer falta não tem valor para o fiel e muito menos para Deus (MACEDO, 1989 apud MARIANO, 2014, p. 170).

Como se vê, trata-se de uma verdadeira lógica de *comunicação* dos eventuais excedentes, o contrário da fundamentação religiosa da ascese que, no máximo, via na poupança e no acúmulo de

---

80. Referindo-se às neopentecostais, Pierucci não deixou de destacar que "lá na frente, os agentes da religião não passam de agentes econômicos, e as igrejas, de empresas. [...] De modo tão descarado que o princípio de fidelidade dos homens, isto é, dos fiéis para com Deus, que sustentou a civilização judaico-cristã, e também a islâmica, desde as origens, agora tem sua direção invertida por essa nova cristandade que proclama que Deus é fiel, o fiel é Deus. Investimento seguro, vale dizer" (PIERUCCI, 2012).

capitais um *sinal* da salvação divina, desde que fruto *não intencional* da severa disciplina religiosa do eleito por Deus. No âmbito da teologia da prosperidade, pelo contrário, o enriquecimento é associado ao consumo, ao gozo contínuo e cada vez maior, algo que, em contrapartida, exige um verdadeiro *sacrifício* financeiro-existencial, o que não deixa de ser explicitamente defendido:

> O sacrifício é mais importante que a quantia – oferta e sacrifício são sinônimos na Bíblia. Toda oferta deve envolver o sacrifício. Muito mais do que dinheiro, Deus observa o nosso coração. O que damos representa o que somos. O sacrifício envolvido na oferta representa muito para Deus (SOARES, 1985 apud MARIANO, 2014, p. 172).

Nesse sentido, é sintomático que os adeptos que não pagam o dízimo ou não ofertam nada a Deus sejam acusados de roubo. Se "quem se recusa a dar, não só deixa de receber as bênçãos, como, pela vida indireta, se opõe a Deus a negar apoio financeiro à obra evangelística" (MARIANO, 2014, p. 172), então já começamos a compreender a *função social* desempenhada pela figura do Diabo na construção neopentecostal da ordem social. Segundo Soares, o salário pertence a Deus, dono de todo o dinheiro do mundo. Assim,

> Quem não paga o dízimo é ladrão de Deus e está ameaçado de maldição. [...] Quase sempre a pessoa que não contribui com seus dízimos e ofertas para a obra de Deus está dando ouvidos ao diabo. Se não está de alguma forma envolvida com ele, pelo menos está fazendo a sua vontade e colaborando com ele para impedir que a obra de Deus seja feita (SOARES, 1985 apud MARIANO, 2014, p. 172-173).

Veja-se: o Diabo *emerge* como aquele que obstaculiza os planos de Deus. O fato de isso ocorrer por falta de fé – a dúvida – do fiel, no entanto, significa mais do que hiper-responsabilização do indivíduo por aquilo de ruim que pode lhe acontecer. Ora, a teologia da prosperidade precisa lidar de algum modo com a *realidade social* das pessoas. Se estas praticam a confissão positiva, pagam o dízimo, fazem ofertas e, na situação do empresário-credor, decretam sua vontade e exigem a ação de Deus, e se ainda assim elas efetivamente vivenciam a pobreza, o sofrimento e a enfermidade, como compreender essa quebra do contrato celestial?

A TEOLOGIA DA DOMINAÇÃO

A pergunta anterior exige que um terceiro entre em cena. Se a teologia da prosperidade foi o primeiro pilar de sustentação do neopentecostalismo, a teologia da dominação finca suas bases para garantir o equilíbrio e a estabilidade desse sistema social. Mas além de trazer elementos que aprofundam as condições de possibilidade da ordem social, ela também significa a retomada de elementos transcendentais – mágicos – no plano terrestre.

No capítulo anterior, destacamos como o calvinismo significava a "conclusão" do processo de desencantamento do mundo (WEBER, 2004b, p. 96), isto é, a eliminação da magia como processo social associado à graça divina. Ainda que o catolicismo mantivesse alguns elementos mágicos – como destacamos, o padre representa uma espécie de monge –, de modo geral

> a teologia liberal, católica e protestante, além de tratar o Diabo e suas hostes satânicas como metáfora, abstração, descrê em

curas milagrosas, intervenções sobrenaturais na história ou na vida cotidiana dos indivíduos. Ao fundamentar sua interpretação da Bíblia nos métodos e na epistemologia das ciências humanas, a teologia liberal adquiriu caráter hermético, erudito, dessacralizando o mundo, a natureza, a história e as relações entre os homens (MARIANO, 2014, p. 110).

Ora, é exatamente o inverso disso que se manifesta no campo pentecostal, em que pastores e fiéis "enxergam a ação divina e demoníaca nos acontecimentos mais insignificantes do cotidiano".[81] Nesse contexto, aquela antiga ideia derivada do cristianismo primitivo – de que Cristo e seus servos podem derrotar Satanás e seus demônios – "firma-se agora como uma das mais destacadas e eficazes promessas dos neopentecostais" (MARIANO, 2014, p. 110).

Fundamentalmente, isso significa que a teologia da dominação, além de outras proposições, concebe uma verdadeira "guerra santa", não apenas no campo celestial, mas sobretudo no plano terrestre. Pense-se, por exemplo, na seguinte "ponderação" do pastor Miguel Ângelo, feita em 1988: "não agredimos esses indivíduos. Tiramos o espírito demoníaco deles. Não somos nós que não aceitamos os umbandistas ou candomblecistas, mas a Bíblia" (MARIANO, 2014, p. 111).[82] Aqui se manifesta a ideia de que o *ou-*

---

81. Ainda que nosso foco esteja na relação entre reposicionamento da magia e guerra santa, como será destacado, a retomada desse elemento mágico também se manifesta em outras esferas. Pense-se, por exemplo, nos "objetos benzidos", dotados de poderes mágicos. Assim, mediante o pagamento de ofertas, são distribuídos "rosa, azeite do amor, perfume do amor, pó do amor, saquinho de sal, arruda, sal grosso, aliança, lenço, frasquinhos de água do rio Jordão e de óleo do Monte das Oliveiras, nota abençoada (fotocópia de cédula benzida), areia da praia do Mar da Galileia, água fluidificada, cru, chave, pente, sabonete" (MARIANO, 2014, p. 134).
82. Outras duas manifestações do mesmo ano podem ser destacadas. Na primeira, o pastor Paulo de Velasco sustenta que "não há agressão. É que alguns evangélicos ficam exaltados na luta contra as forças do mal"; na segunda, o bispo Honorílton Gonçalves segue a mesma linha, afirmando: "é verdade que os orixás são o Diabo

tro – no caso, religiões tidas como "adversárias" – nada mais seria do que um demônio[83] que, "naturalmente", deve ser *combatido*. Mas não só, já que esse processo de *othering* revela uma particular representação da sociedade.

Uma ordem social dualista

No que se refere à teologia da dominação, a grande diferença do neopentecostalismo frente ao campo pentecostal está na exacerbação da guerra entre Deus e o Diabo pelo domínio da humanidade. Podemos perceber isso de modo cristalino nas seguintes considerações de Soares:

> Não existe nada que esteja fora da ação demoníaca. No futebol, na política, nas artes e na religião, nada escapa ao cerco do Diabo. [...] Satanás tem milhares de agências no mundo. [...] Por trás da religião, do intelectualismo, da poesia, da arte, da música, da psicologia, do entendimento humano e de tudo com o que temos contato, Satanás se esconde. [...] As adegas, os prostíbulos, as casas de jogos de azar, os bares onde as pessoas se embriagam e tantas outras coisas que transtornam a vida dos homens são também agências do Diabo. [...] O Diabo controla tudo. Há pessoas tão envolvidas com o espiritismo que têm sob controle dos espíritos desde a alimentação até sua vida sexual. Os espíritos se envolvem com tudo. Cores de

---

e que as pessoas que estão na macumba não prestam, mas nós não brigamos com eles. Só queremos levar a palavra de Cristo até eles" (MARIANO, 2014, p. 121).

83. Mariano faz referência a uma pesquisa de 1996, em que "89% dos evangélicos creem na existência de religiões demoníacas. O kardecismo aparece como demoníaco para 88% deles, enquanto a umbanda e o candomblé o são para 95%. O catolicismo é visto como demoníaco por 'apenas' 30% desses religiosos, número que sobe para 43% entre os adeptos da Igreja Universal" (MARIANO, 2014, p. 111).

roupas, lugares onde passear, tipos de carnes e de comidas, dias de lazer, pessoas com quem devem fazer amizade, filmes a que pode assistir, horário para andar pelas ruas, modo de banhar-se (SOARES, 1984 apud MARIANO, 2014, p. 114).

Como era de se esperar, Macedo também não deixa de destacar esse aspecto fundamental da teologia neopentecostal. Para ele, os demônios são responsáveis por

> todos os males que afligem a humanidade. Doenças, misérias, desastres e todos os problemas. [...] Os demônios, espíritos destruidores, estão nos germes, bacilos e vírus. [...] [são] a principal causa de doenças. [...] [Eles] fazem das pessoas o que bem entendem. Cuidam de todos os aspectos da vida delas, desde a maneira de se vestir até os casos amorosos; se intrometem e submetem os seus seguidores através de conselhos ou ameaças. [...] Os demônios agem de acordo com a mentalidade da pessoa, de acordo com sua posição social e também, é claro, de acordo com as suas necessidades. [...] Os demônios têm levado muitas pessoas para o hospício, primeiro porque têm prazer na destruição do ser humano, segundo, porque atuando em uma mente destruída estão a salvo de uma rejeição consciente. Os demônios só não levam todos os seus seguidores à loucura, porque senão não haveria quem espalhasse as suas doutrinas infernais (MACEDO, 1988 apud MARIANO, 2014, p. 114).

Veja-se: estando em todos os lugares, o Diabo, em sua *onipresença*, pode a qualquer instante dominar os fiéis e, assim, interferir na relação contratual que estes estabelecem com Deus.[84] Disso

---

84. Tal como destacado por Mariano, "os neopentecostais creem que o se passa no 'mundo material' decorre da guerra travada entre as forças divina e demoníaca

derivaria até mesmo a enumeração de dez sinais típicos de possessão: nervosismo, dores de cabeça constantes, insônia, medo, desmaios ou ataques, desejo de suicídio, doenças cujas causas os médicos não descobrem, visões de vultos ou audições de vozes, vícios e depressão (MARIANO, 2014, p. 115).

Apesar da trivialidade desses sintomas, o que permitiria considerar qualquer ser humano um virtual endemoninhado,[85] isso significa que o "mundo material" sofre as determinações do "mundo espiritual". Daí a importância do Diabo para as explicações que procuram dar conta de todo e qualquer aspecto negativo da reprodução social, elemento a partir do qual não apenas se exacerba a lógica de combate e violência, como naturaliza ambas.

Consequentemente, tudo se passa como se o universo inteiro estivesse dividido entre esses dois mundos. Note-se, no entanto, que a cotidianidade seria justamente o "campo de batalha" da guerra santa. Assim, "os fiéis são convocados a alistar-se como soldados nas tropas do Senhor dos Exércitos" (MARIANO, 2014, p. 114), algo próximo dos Gladiadores do Altar, retratados em 2015 pela Igreja Universal do Reino de Deus do Ceará.[86] Tal como desta-

---

no 'mundo espiritual'. Guerra, porém, que não está circunscrita apenas a Deus/anjos X Diabo/demônios. Os seres humanos, conscientes disso ou não, participam ativamente de uma ou de outra frente de batalha. [...] Voluntariamente engajados no lado divino, creem deter poder e autoridade, concedidos a eles por Deus, para, em nome de Cristo, reverter as obras do mal. Isto é, acreditam-se capazes de alterar realidades indesejáveis do 'mundo material' por meio de seu vínculo de fé com as forças divinas" (MARIANO, 2014, p. 113).

85. É importante ressaltar que "nas denominações do pentecostalismo clássico e deuteropentecostalismo, acredita-se que o crente batizado não é passível de possessão, apenas de opressão e tentação satânicas, o que não é pouco. Por mais que o Diabo seja imprecado nessas igrejas, a manifestação de demônios não é frequente, muito menos desejada ou invocada. Pelo contrário" (MARIANO, 2014, p. 126).

86. Em vídeo publicado pela própria Igreja, jovens aparecem marchando, batendo continência e gritando que estão "prontos para a batalha" (UOL Notícias, 2015). Segundo Mariano, a Igreja Universal é uma verdadeira protagonista da guerra santa, com uma "pedagogia guerreira" que Macedo chama de "pregação

cado por Mariano, a teologia da dominação "é de uma beligerância extrema. Em sua guerra contra o Diabo, há inimigos, soldados, batalhas, luta, munição, manobras, impiedade, perigo, resistência, crimes, castigos, desafios, destruição, libertação, vitória e derrota" (MARIANO, 2014, p. 125).

Ora, está longe de ser mera casualidade que a temática do *poder* seja tão importante nesse contexto. Mas, uma vez construído o diagnóstico de que não há nada que não possa ser objeto da ação demoníaca, tendo nos cultos afro-brasileiros e espiritistas[87] duas de suas maiores manifestações, os desafios para as igrejas evangélicas e para os fiéis aumentam consideravelmente.[88]

---

plena" (MARIANO, 2014, p. 125). Note-se, também, que "de tão enfatizada que é, a possessão demoníaca tornou-se indissociável da imagem e da identidade das Igrejas Universal e Internacional da Graça. De tanto invocar demônios para se manifestarem nos cultos, conseguiram transformar, ritual e doutrinariamente, o *transe de possessão* em sua marca" (MARIANO, 2014, p. 129-130, grifo do autor).
87. Em 1984, Soares já afirmava: "o que acontece no espiritismo, na verdade, justificaria chamá-lo fábrica de loucos. Engano, desequilíbrio mental e nervoso, crime, loucura, possessão e opressão demoníaca, prostituição, pederastia, lesbianismo, idolatria etc. [...] Há muito charlatanismo nos terreiros [...], exus protetores de pederastas, de viciados, de valentões, de ladrões etc. [...] [O candomblé] é uma das religiões mais diabólicas que a humanidade já conheceu. [Na umbanda] os demônios são até adorados como deuses, a quem prestam cultos e sacrifícios. [...] O espiritismo é a maior agência que Satanás estabeleceu neste mundo para extraviar e perder os homens" (SOARES, 1984 apud MARIANO, 2014, p. 119). Em 1988, Macedo tecia considerações bastante próximas. Religiões espíritas, afro-brasileiras e orientais são apresentadas como "obra e reduto diabólicos", manifestações de "estupidez, ignorância e idolatria", identificando os ritos com "lodo", "imundice" e "lamaçal". Tratar-se-ia de religiões frequentadas sobretudo por "prostitutas, homossexuais e lésbicas", mas também por "ladrões, criminosos, contraventores, pederastas e gente desta estirpe" (MACEDO, 1988 apud MARIANO, 2014, p. 119-120).
88. Os desafios são tamanhos que chegam a assumir formas extremamente criativas. Analisando a apostila "Estabelecendo um ministério local de libertação", produzida pela Missão Shekinah, Mariano afirma que a investida do Diabo "pode levar os incautos a estabelecer 'vínculos de amarrações com as trevas' por meio de discos de rock, do boneco 'Fofão' e dos desenhos infantis *He Man, Os Simpsons, Família Dinossauro*. Demônios que podem assumir até a forma de 'tartaruga' e agir como 'guerreiros ninjas'. Tartaruga ninja? Assim, com a conivência de Hollywood, nem as crianças estão a salvo das garras do inimigo" (MARIANO, 2014, p. 146).

Daí a alegada necessidade de atentar para a crítica da pregação de um evangelho "chocolate", "água com açúcar", isto é, de um evangelho que não libertaria verdadeiramente as pessoas da influência dos demônios. Segundo Macedo,

> há um demônio chamado exu tradição, que penetra sorrateiramente, obrigando os membros da Igreja a atentarem tão somente para usos e costumes e normas eclesiásticas, de modo que entra a fraqueza espiritual na comunidade e esta se esquece dos princípios elementares da fé. Seus membros não se alistam no combate contra as potestades e passam a se preocupar com jogos, passatempos, diversões ou, no outro extremo, com as 'vestes dos santos'. [...] Se na igreja o poder de Deus sobre os demônios não é exercitado, ela se transforma num clube ou em uma escola bíblica. Evangelho é poder, e poder tem de ser exercido, para a derrota de Satanás [...] e a glória de Deus (MACEDO, 1988 apud MARIANO, 2014, p. 115).

Com isso se manifesta uma ofensividade que tem na convicção da "vitória progressiva do bem contra o mal" seu principal combustível, devidamente abastecido por mais esta consideração de Macedo:

> Muitos cristãos vivem pedindo oração porque estão sendo perseguidos pelo diabo. É de estarrecer, porque a realidade deveria ser outra. Os cristãos é que devem perseguir os demônios. Nossa luta é muito mais de combate do que de defesa; devemos nos armar de toda a armadura de Deus para libertar os oprimidos. A igreja deve ser triunfante e estar sempre na ofensiva (MACEDO, s.d. apud MARIANO, 2014, p. 122).

Mas aqui é necessário atentar para o seguinte: o tom belicista da teologia da dominação não deve ser objeto de mero escândalo.

Na verdade, junto com a teologia da prosperidade, essa doutrina compõe um mecanismo de coesão social bastante particular, fazendo emergir uma fundamentação paradoxal da possibilidade do agir, notadamente em virtude da premissa da guerra santa.[89]

Se no capítulo 2 destacamos como a fundamentação religiosa da ascese intramundana exercia uma pressão psicológica para um determinado tipo de agir, a análise do contrato e da troca com Deus nos permitiu vislumbrar como a ação dos fiéis passa a ser orientada por aqueles valores subjacentes à sociedade neoliberal. Assim, a ideia de *hiper*-responsabilização individual apresentou-se como um corolário pelo eventual fracasso em receber as bênçãos divinas. Mas, se essa imputação pressupõe a autonomia do sujeito, como compatibilizá-la com a dualidade entre mundo material e espiritual? Como praticá-la se o Diabo está entre nós?

O paradoxo da (não) responsabilidade

Para responder essas questões é importante partir do seguinte diagnóstico: como vimos, o alcance dos "direitos divinos" pressupõe uma responsabilidade individual que, no entanto, é consideravelmente enfraquecida em virtude da presença do Diabo no plano terrestre: daí a necessidade de se "armar" e "atacar" para vencer esse poderoso inimigo e seus demônios.

Trata-se, assim, de um movimento de inclusão e exclusão, algo que Mariano já percebe no embate que as Igrejas Universal e In-

---

89. Cumpre destacar a origem (também neste caso) norte-americana dessa concepção, derivada da *Dominion Theology*. Seu principal difusor é Peter Wagner, coordenador da Rede Internacional de Guerra Espiritual, fundada em 1990. Segundo Mariano, "numa palestra em São Paulo, em 31 de outubro de 1994, Wagner assegurou que, vencido o comunismo, o grande inimigo atual do Evangelho no plano internacional é o islamismo" (MARIANO, 2014, p. 137).

ternacional da Graça alimentam com outras religiões. Por isso mesmo ele apresenta a seguinte reflexão:

> A guerra travada dia a dia contra a umbanda, o candomblé, o kardecismo e a Igreja Católica torna seus elementos parte integrante da própria identidade da Universal, a mais combativa das igrejas neopentecostais, e da Internacional da Graça. Essa identidade se estrutura na relação com o outro, seja ela pacífica ou não. Sem o Diabo, sem o inimigo incessantemente expulso, humilhado, combatido, vilipendiado, Universal e Internacional da Graça não seriam quem são nem quem presumem ser. Precisam estar combatendo e vencendo um inimigo forte e poderoso para atestar seu próprio poderio espiritual. Enfim, sem o Diabo e seus asseclas, não teriam como justificar, diagnosticar e sanar os males que acometem os fiéis, nem como legitimar sua própria existência ou sua natureza divina (MARIANO, 2014, p. 137).

É exatamente esse raciocínio que gostaríamos de ressaltar nesta última seção. O que chamamos de "paradoxo da (não) responsabilidade" é o resultado da extrema tensão em que se encontra o fiel que tem diante de si a teologia da prosperidade e a teologia da dominação. De um lado, a *certeza*, fruto da fé, de ter de praticar a confissão positiva, decretando em voz alta sua vontade e pagando os dízimos, momento em que se põe a possibilidade de garantir a prosperidade pela vontade divina. Do outro, uma segunda *certeza*, decorrente da dualidade pressuposta ao neopentecostalismo, de que o fiel tem a ameaçadora companhia de um ente espiritual superior – o Diabo –, responsável por afastá-lo de Deus.

É exatamente essa *simultaneidade* que nos interessa:

não deixa de ser curioso que, ao mesmo tempo que se creem imbuídos de tantos poderes para derrotar seus inimigos espirituais, os neopentecostais acreditem que qualquer 'brecha' baste para os demônios reverterem a relação de forças (MARIANO, 2014, p. 146).

Mais do que curiosidade, a duplicação da certeza manifesta uma importante problemática acerca da ética e da culpa. Considere-se, por exemplo, o seguinte caso, retratado no jornal *Folha de S.Paulo*, em 26 de setembro de 1990:

> Sônia Oliveira, 18 anos, procurou Paulo Gomes de Oliveira, pastor da Universal, para resolver problemas espirituais. Ele levou-a para a sede da igreja na Vila Galvão e a estuprou. Preso em flagrante, alegou que não teve intenção de estuprar: "Fui possuído por espíritos, que me obrigaram ao ato" (MARIANO, 2014, p. 140).

Mesmo um pastor, sujeito teoricamente mais próximo de Deus e, assim, detentor da força necessária para permanecer liberto, *caiu* nas artimanhas demoníacas. Assim, se o indivíduo é *obrigado* a algo por um espírito, então fica evidente que ele aparece nessa trama como alguém que foi *vítima* do Diabo. Isso significa que a operacionalização da teologia do domínio pressupõe uma concepção bastante atrofiada da autodeterminação, do livre arbítrio.

No entanto, essa é uma premissa que traz consequências importantes para a problemática que temos discutido até aqui. Como ressaltamos no final do capítulo 2, o estudo da relação entre a fundamentação religiosa da ascese intramundana e a *gênese* do capitalismo revelou que o desenvolvimento deste gradativamente repele aquela. Foi esse diagnóstico – referente ao "capitalismo vitorioso", o "invólucro duro como aço" – que fez emergir o questionamento acerca da possibilidade do neopentecostalismo, enquanto ramificação do campo protestante, significar uma *resposta adaptativa* ao desenvolvimento do capitalismo financeirizado.

Na primeira seção deste capítulo, a breve análise do neoliberalismo revelou o sentido geral do "sujeito neoliberal", base a partir da qual abordamos a teologia da prosperidade. Nesta, a ênfase mercadológica na relação contratual com Deus, o incentivo ao comportamento arriscado e a legitimação da expectativa por robustos retornos financeiros "prometidos" compuseram um mosaico de responsabilização individual que em muito se assemelhava ao "empresário de si mesmo" característico dos discursos neoliberais.

No entanto, se a ideia de um investimento "divino" sugeria um molde para comportamentos bastante em voga nos dias de hoje, as reflexões apresentadas nas páginas anteriores suscitam um grande número de dúvidas acerca da *efetividade* do processo de responsabilização anteriormente destacado. Trata-se de uma problemática apontada por Mariano, em diálogo com Mariza Soares:[90]

> A libertação ritual não conduz necessariamente à conversão do processo. Do mesmo modo que o fiel/frequentador é vítima frequente de demônios sem que esboce qualquer ação livre e autônoma resultando em pecado, afastamento de Deus ou algum ato malévolo, também "a libertação é um ato praticado pelo pastor e independe da vontade da pessoa" (apud SOARES, 1990: 87). Enfraquecida a concepção de autodeterminação, debilitam-se também as noções de culpa e

---

90. O texto em questão é "Guerra santa no país do sincretismo".

pecado e, por consequência, a ética, cristã ou não, fundada na responsabilidade pelos atos cometidos (MARIANO, 2014, p. 140-141).

E logo após desenvolvida a partir de uma referência a Cecília Mariz:[91]

> Os pentecostais [...] não veem o indivíduo como um ser autônomo. Todos dependem de Deus, sem o qual se tornam vítimas de forças malignas. [...] O pentecostalismo não abraça uma visão individualista no sentido que não define o indivíduo como ser totalmente autônomo e autodeterminado. [...] Daí não se enfatizar a ideia de culpa ou arrependimento no discurso pentecostal (MARIZ, 1994 apud MARIANO, 2014, p. 141).

Ora, a teologia da libertação tem como *efeito* a debilitação não apenas do sentimento de culpa, mas também de uma ética fundada na responsabilidade pelos atos cometidos. Mas isso também demonstra que a análise[92] dos dois pilares do neopentecostalismo aponta para um verdadeiro *curto-circuito* no processo de responsabilização.

Se os elementos culturais subjacentes ao calvinismo e ao puritanismo contribuíram para a construção de um novo *ethos*, em que o trabalho sistemático e a ascese intramundana favoreceram a consolidação de uma atividade econômica particularmente adequada ao desenvolvimento do capitalismo, as páginas anteriores

---

91. O texto em questão é "Libertação e ética: uma análise do discurso de pentecostais que se recuperaram do alcoolismo".
92. Evidentemente, inúmeras outras questões atravessam tanto a teologia da prosperidade como a teologia da dominação. Neste livro, destacamos apenas os elementos que nos auxiliam a desenvolver a problemática acerca da possibilidade do neopentecostalismo significar a encarnação daquele "espírito" do capitalismo analisado por Weber.

contrariaram a tese de Berger de que existiriam afinidades entre o pentecostalismo e o "espírito" do capitalismo analisado por Weber.

Na verdade, quando se atenta para os pilares de sustentação do neopentecostalismo, o amálgama deste à sociedade neoliberal sugere uma série de problematizações. Como destaca Mariano, em explícita referência ao livro *Tongues of Fire*, de David Martin:

> Na ótica weberiana, a acumulação primitiva do capital resultara, entre outros fatores, justamente da ética puritana, que interditava ao fiel qualquer modalidade de consumo supérfluo. No neopentecostalismo, o crente não procura a riqueza para comprovar seu estado de graça. Não se trata disso. Como todos os demais, crentes e incréus, ele quer enriquecer para consumir e usufruir de suas posses nesse mundo. Sua motivação consumista, notadamente mundana, foge totalmente ao espírito do protestantismo ascético, sobretudo de vertente calvinista (MARIANO, 2014, p. 185).

Como se vê, cem anos após o falecimento de Weber e a publicação da segunda edição de *A ética protestante e o espírito do capitalismo*, sua "pesquisa sociocultural" (RIESEBRODT, 2012, p. 167) continua alimentando hipóteses de pesquisa. Longe de qualquer causalidade culturalista, a abordagem weberiana ainda é uma das bases de toda e qualquer investigação social que procure compreender a ação social em distintos níveis de abstração. Ora, num mundo pós-coronavírus, tão afeito ao negacionismo e à descartabilidade da ciência, o estudo de temas fundamentais para uma teoria da sociedade ainda tem no sociólogo alemão um porto-seguro: um *clássico*, como diria Bobbio, extremamente atual.

CONSIDERAÇÕES FINAIS

No penúltimo capítulo de *A ética protestante e o espírito do capitalismo*, Weber finalizou sua "exposição puramente histórica" destacando que não era possível saber o que aconteceria diante do desenvolvimento monstruoso do capitalismo, o "invólucro duro como o aço". Em especial, ele deixou em aberto se, futuramente, surgiriam profetas inteiramente novos ou haveria um renascer de velhas ideias (WEBER, 2004b, p. 166).

Ao longo das reflexões que apresentamos, é curioso notar que as duas alternativas se manifestaram, notadamente quando abordamos o neopentecostalismo. De um lado, a profecia subjacente à teologia da prosperidade. Do outro, a retomada da guerra santa – tão característica do cristianismo primitivo – no âmbito da teologia da dominação. Ora, essa simultaneidade do novo e do arcaico em solo nacional não é novidade.

Como habilmente retratou Francisco de Oliveira, aqui se manifesta uma "espécie de dialética negativa", em que "os problemas não eram superados dando lugar a uma nova e superior contradição; os problemas eram rebaixados, utilizando-se formas precárias, arcaicas, regressivas" (OLIVEIRA, 2018, p. 77). É o famoso "truncamento brasileiro":

uma independência urdida pelos liberais, que se fez mantendo a família real no poder e se transformou imediatamente numa regressão quase tiranicida; um segundo imperador que passou à história como sábio e não deixou palavra escrita, salvo cartas de amor um tanto pífias; uma abolição pacífica, que rói as entranhas da monarquia; uma república feita por militares conservadores, mais autocratas que o próprio imperador. Num registro não sarcástico: desenvolvimento conservador a partir de rupturas históricas libertadoras (OLIVEIRA, 2018, p. 32).

De certo modo, o retrato dessa situação tem lá sua relação com a "ironia" assinalada por Mariano ao final de sua análise da teologia da prosperidade. O sociólogo destaca que, ao repor um conjunto de crenças altamente mágicas e renegar o ascetismo protestante, essa doutrina pode ter jogado por terra "justamente o elemento de natureza ética do protestantismo capaz de, ao menos potencialmente, promover a realização de sua principal promessa: a tão almejada prosperidade material" (MARIANO, 2014, p. 186).

Mas isso não significa, evidentemente, que o neopentecostalismo não possua qualquer afinidade com o capitalismo. Como o próprio Mariano destaca, "ele tem, só que é completamente distinta daquela do puritanismo" (MARIANO, 2014, p. 185). E a razão dessa diferença reside no fato de que ele não só não concebe qualquer espaço para o discurso do trabalho profissional como vocação, como aprova e aprofunda exatamente o contrário da ascese intramundana, sugerindo uma prosperidade que se dá pelo estímulo ao consumo, à ostentação e ao progresso material individual. Estes são os elementos que embasam a seguinte observação:

> Nascida nos EUA, a Teologia da Prosperidade não tece uma única crítica sequer ao capitalismo, nem à injustiça e desigual-

dade sociais, nem aos desequilíbrios econômicos do mundo globalizado. Mais pró-capitalista impossível. Mas daí concluir que tal teologia, ou os religiosos que a defendem, impulsione e fortaleça efetivamente este sistema econômico, vai uma longa história (MARIANO, 2014, p. 185).

O que isso significa para o "futuro do Brasil"? Em se tratando do "sistema econômico", a disputa teológica entre católicos e neopentecostais aponta para caminhos radicalmente distintos. De um lado, a *crítica* do papa Francisco à "crise antropológica", característica de uma era em que predomina a "nova idolatria do dinheiro", o "fetichismo do dinheiro". Do outro, a *defesa* de Macedo – ainda que com consequências paradoxais, como destacamos – do individualismo empresarial, da "intenção especulativa" em contrato com Deus, dos "rendimentos divinos". Chamamento à ética pelo cuidado do comum, diz o primeiro, aprofundamento da ética de si mesmo, proclama o segundo.

Como se vê, em meio a tantas disputas, há certamente espaço para o alargamento do horizonte de pesquisa, não apenas da sociologia da religião e seus especialistas, mas para todos aqueles e aquelas que se conscientizam do papel da religião nos dias de hoje, mesmo em uma sociedade secularizada. Tome-se como exemplo o encontro – em 19 de janeiro de 2004 – entre Jürgen Habermas e Joseph Ratzinger,[93] a convite da Academia Católica da Baviera.

Tendo como base a instigante e atualíssima pergunta de Ernst-Wolfgang Böckenförde – "será que o Estado liberal secularizado se alimenta de pressupostos normativos que ele próprio não é capaz de garantir?", feita em 1967 –, Habermas, após desenvolver uma série de argumentos, retomou uma ponderação feita

---
93. Eleito papa – Bento XVI – logo após, em 19 de abril de 2005.

alguns anos antes,[94] apontando a necessidade da filosofia levar a sério a permanência da religião num ambiente de secularização progressiva, não como mero fato social, mas "como um desafio cognitivo a ser analisado a partir do lado interior" (HABERMAS; RATZINGER, 2018, p. 28). Ratzinger, por sua vez, não deixou de apontar tanto as "patologias na religião" como as "patologias da razão", defendendo uma "correcionalidade entre razão e religião" (HABERMAS; RATZINGER, 2018, p. 59).

Esse sugestivo diálogo – ao melhor estilo bobbiano – nos mostra que não existem apenas disputas acerca do conteúdo da normatividade hodierna. Em se tratando da influência do campo religioso na ação cotidiana, inúmeras dúvidas se sobrepõem. Entre católicos e neopentecostais, até pode-se construir a miragem de que suas próprias forças poderiam determinar se há ou não saída ao capitalismo. Divergências à parte, um ponto sobressai como elemento capaz de alargar o horizonte de pesquisa daqueles interessados nessa temática: o *dinheiro* constitui o ponto comum a ambas as teologias, seja pelo repúdio, seja pela aquiescência.[95]

---

94. No discurso de agradecimento por ocasião da entrega do Prêmio da Paz da Câmara Alemã do Livro, em 2001.
95. Não por acaso, houve quem já percebesse que "a sociedade moderna, que já em sua infância arrancou a Pluto das entranhas da terra pela cabeça, saúda no Graal de ouro a resplandecente encarnação de seu princípio vital mais próprio" (MEGA, II. 6, p. 154).

REFERÊNCIAS

ALESSI, G. A esquerda abriu espaço e legitimou os evangélicos na política. *El País*, [s. l.], 31 out. 2016. Disponível em: https://brasil.elpais.com/brasil/2016/10/31/politica/1477940246_927730.html?outputType=amp. Acesso em: 18 ago. 2020.

ALVES, J. E. D. et al. Distribuição espacial da transição religiosa no Brasil. *Tempo Social*, São Paulo, v. 29, n. 2, p. 215-242, ago. 2017.

ALVES, J. E. D. A transição religiosa no Brasil: 1872-2050. *Eco-Debate*, Rio de Janeiro, 25 jul. 2016. Disponível em: http://www.ihu.unisinos.br/noticias/558131-a-transicao-religiosa-no-brasil-1872-2050-. Acesso em: 1 jun. 2020.

BALLOUSIER, A. V. Evangélicos podem desbancar católicos no Brasil em pouco mais de uma década. *Folha de S.Paulo*, São Paulo, 14 jan. 2020. Disponível em: https://www1.folha.uol.com.br/poder/2020/01/evangelicos-podem-desbancar-catolicos-no-brasil-em-pouco-mais-de-uma-decada.shtml. Acesso em: 15 mar. 2020.

BELLUZZO, L. G. *Os antecedentes da tormenta*: origens da crise global. São Paulo: Editora Unesp; Campinas: Facamp, 2009.

BENTO XVI. *Caritas in Veritate*. Vaticano, 2009. Disponível em: http://www.vatican.va/content/benedict-xvi/pt/encyclicals/documents/hf_ben-xvi_enc_20090629_caritas-in-veritate.html. Acesso em: 8 jun. 2020.

BLYTH, M. *Great Transformations*: Economic Ideas and Institutional Chance in the Twentieth Century. Cambridge: Cambridge University Press, 2002.

BOBBIO, N. *Política e cultura*. São Paulo: Editora Unesp, 2015.

BOBBIO, N. *Teoria geral da política*: a filosofia política e as lições dos clássicos. Rio de Janeiro: Elsevier, 2000.

BOISSONNADE, P. *Life and Work in Medieval Europe*. London: Routledge, 2011.

BOLTANSKI, L.; CHIAPELLO, E. *O novo espírito do capitalismo*. São Paulo: Martins Fontes, 2009.

BRENNER, R. *The Economics of Global Turbulence*. London/New York: Verso, 2006.

BRUNHOFF, S. et al. *A finança capitalista*. São Paulo: Alameda, 2010.

COLEMAN, J. Social Theory, Social Research, and a Theory of Action. *American Journal of Sociology*, Chicago, v. 91, n. 6, p. 1309-1335, 1986.

DARDOT, P.; LAVAL, C. *A nova razão do mundo*: ensaio sobre a sociedade neoliberal. São Paulo: Boitempo, 2016.

DOWBOR, L. *A era do capital improdutivo*. São Paulo: Autonomia Literária, 2017.

FANFANI, A. *Catholicism, Protestantism and Capitalism*. Norfolk: IHS Press, 2003.

FIGUEIREDO FILHO, V. *Entre o palanque e o púlpito*: mídia, religião e política. São Paulo: Annablume, 2005.

FRANCISCO. *Evangelii Gaudium*. Vaticano, 2013. Disponível em: http://www.vatican.va/content/francesco/pt/apost_exhortations/documents/papa-francesco_esortazione-ap_20131124_evangelii-gaudium.html. Acesso em: 8 jun. 2020.

FRANCISCO. *Laudato si*. Vaticano, 2015. Disponível em: http://w2.vatican.va/content/francesco/pt/encyclicals/documents/papa-francesco_20150524_enciclica-laudato-si.html. Acesso em: 8 jun. 2020.

FRANCISCO. Considerações para um discernimento ético sobre alguns aspectos do atual sistema econômico-financeiro. Vaticano, 2018. Disponível em: https://www.vatican.va/roman_curia/congregations/cfaith/documents/rc_con_cfaith_doc_20180106_oeconomicae-et-pecuniariae_po.html. Acesso em: 8 jun. 2020.

FRESTON, P. *Protestantes e política no Brasil*: da constituinte ao impeachment. 1993. 308 f. Tese (Doutorado em Sociologia) – Instituto de Filosofia e Ciências Sociais da Universidade Estadual de Campinas, Campinas, 1993.

GERSCHENKRON, A. *O atraso econômico em perspectiva histórica e outros ensaios*. Rio de Janeiro: Contraponto; Centro Internacional Celso Furtado, 2015.

GRAMSCI, A. *Quaderni del carcere*. Torino: Giulio Einaudi Editore, 1977. v. 3.

GUTIERREZ, G. *A Theology of Liberation*: History, Politics and Salvation . Ossining: Orbis Books, 1973.

GUTTMANN, R. Uma introdução ao capitalismo dirigido pelas finanças. *Novos Estudos*, São Paulo, n. 82, p. 11-33, nov. 2008.

HABERMAS, J.; RATZINGER, J. *Dialektik der Säkularisierung*: Über Vernunft und Religion. Freiburg: Herder, 2018.

HAGIN, K. *Novos limiares da fé*. Rio de Janeiro: Graça Editorial, 2000.

HARVEY, D. *O neoliberalismo*: história e implicações. São Paulo: Edições Loyola, 2014.

JOÃO PAULO II. *Centesimus Annus*. Vaticano, 1991. Disponível em: http://www.vatican.va/content/john-paul-ii/pt/encyclicals/documents/hf_jp-ii_enc_01051991_centesimus-annus.html. Acesso em: 8 jun. 2020.

JOÃO PAULO II. Paz na terra aos homens, que Deus ama! Vaticano, 2000. Disponível em: http://w2.vatican.va/content/john-paul-ii/pt/messages/peace/documents/hf_jp-ii_mes_08121999_xxxiii-world-day-for-peace.html. Acesso em: 8 jun. 2020.

KAESLER, D. *Max Weber*: Preuße, Denker, Muttersohn. München: C.H. Beck, 2014.

LEÃO XIII. *Rerum Novarum*. Vaticano, 1891. Disponível em: http://www.vatican.va/content/leo-xiii/pt/encyclicals/documents/hf_l-xiii_enc_15051891_rerum-novarum.html. Acesso em: 8 jun. 2020.

LÖWY, M. *A jaula de aço*: Max Weber e o marxismo weberiano. São Paulo: Boitempo Editorial, 2014.

MARIANO, R. *Neopentecostais*: sociologia do novo pentecostalismo no Brasil. São Paulo: Edições Loyola, 2014.

MARIANO, R. Os neopentecostais e a teologia da prosperidade. *Novos Estudos*, São Paulo, n. 44, p. 24-44, 1996.

MARX, K. *Das Kapital. Kritik der Politischen Ökonomie.* Ester Band (Hamburg 1872). In: MARX, K.; ENGELS, F. *Gesamtausgabe (MEGA), Zweite Abteilung, Band 6.* Berlin: Dietz Verlag, 1987.

MUNIZ, R. Ética neopentecostal e espírito do consumismo: bênção sobre a busca e ostentação de riqueza. *Comtudo*, [s. l.], 1 jan. 2000. Disponível em: http://www.comtudo.com.br/materia.php?id=19. Acesso em: 14 jul. 2020.

NOVAK, M. *The Spirit of Democratic Capitalism.* New York: Madison Books, 1991.

OLIVEIRA, F. *Brasil*: uma biografia não autorizada. São Paulo: Boitempo Editorial, 2018.

OXFAM. *Tempo de cuidar*: o trabalho de cuidado não remunerado e mal pago e a crise global da desigualdade. Oxford, 2020. Disponível em: https://www.oxfam.org.br/justica-social-e-economica/forum-economico-de-davos/tempo-de-cuidar/. Acesso em: 14 jul. 2020.

PAULO VI. *Populorum Progressio.* Vaticano, 1967. Disponível em: http://www.vatican.va/content/paul-vi/pt/encyclicals/documents/hf_p-vi_enc_26031967_populorum.html. Acesso em: 8 jun. 2020.

PIERUCCI, A. F. *O desencantamento do mundo*: todos os passos de um conceito. São Paulo: Editora 34, 2003.

PIERUCCI, A. F. O fiel é Deus. *Folha de S.Paulo*, São Paulo, 17 jun. 2012. Disponível em: www1.folha.uol.com.br/fsp/ilustrissima/49211-o-fiel-e-deus.shtml. Acesso em: 14 jul. 2020.

PIO XI. *Quadragesimo anno*. Vaticano, 1931. Disponível em: http://w2.vatican.va/content/pius-xi/pt/encyclicals/documents/hf_p-xi_enc_19310515_quadragesimo-anno.html. Acesso em: 8 jun. 2020.

PRANDI, R. Converter indivíduos, mudar culturas. *Tempo Social*, São Paulo, v. 2, n. 20, p. 155-172, 2008.

RIESEBRODT, M. A ética protestante no contexto contemporâneo. *Tempo Social*, São Paulo, v. 24, n. 1, p. 159-172, 2012.

ROSA, H. *Aceleração*: a transformação das estruturas temporais na Modernidade. São Paulo: Editora Unesp, 2019.

SELL, C. E. *Max Weber e a racionalização da vida*. Petrópolis: Vozes, 2013.

SELL, C. E. Vaivém autenticamente humano: a sociologia do catolicismo em *A ética protestante e o "espírito" do capitalismo*. In: SENEDA, M. C.; CUSTÓDIO, H. F. F. (org.). *Max Weber:* religiões, valores, teoria do conhecimento. Uberlândia: EDUFU, 2016. p. 15-60.

SOMBART, W. *El Apogeo del Capitalismo*. México, DF: Fondo de Cultura Económica, 1984.

STÄHELI, U. *Spektakuläre Spekulation*: Das Populäre der Ökonomie. Frankfurt: Suhrkamp, 2007.

SWEDBERG, Richard. *Max Weber and the Ideal of Economic Sociology*. New Jersey: Princeton University Press, 1998.

TURKSON, P. Por uma reforma do sistema financeiro e monetário internacional na perspectiva de uma autoridade pública com competência universal. Vaticano, 2011. Disponível em: http://www.vatican.va/roman_curia/pontifical_councils/justpeace/documents/rc_pc_justpeace_doc_20111024_nota_po.html. Acesso em: 14 jul. 2020.

UOL Notícias. Em culto da Universal no CE, jovens 'gladiadores' se dizem 'prontos para a batalha'. São Paulo, 3 mar. 2015. Disponível em: https://noticias.uol.com.br/ultimas-noticias/agencia-estado/2015/03/03/em-culto-da-universal-jovens-gladiadores-se-dizem-prontos-para-a-batalha.htm. Acesso em: 18 jun. 2020.

VAROUFAKIS, Y. *O minotauro global*: a verdadeira origem da crise financeira e o futuro da economia global. São Paulo: Autonomia Literária, 2016.

WEBER, M. *A bolsa*. Lisboa: Relógio d'Água, 2004a.

WEBER, M. *Die Protestantische Ethik und der 'Geist' des Kapitalismus*. Berlin: Springer, 2016.

WEBER, M. *A ética protestante e o espírito do capitalismo*. São Paulo: Companhia das Letras, 2004b.

WEBER, M. *General Economic History*. Mineola: Dover Publications, 2003.

Esta obra foi composta em Utopia Std 11,5 pt e impressa em
papel Offset 75 g/m² pela gráfica Paym.